조상익

16주 반주완성

①

세광음악출판사

머 리 말

반주법이란 주어진 멜로디에 아름다운 화음을 넣어서 바르게 연주하는 방법을 배우는 것이라고 할 수 있습니다.

수많은 교본이 있음에도 불구하고 반주가 잘 안 되는 이유는, 반주하는 방법에 대한 구체적이고 정확한 이론없이 기초 코드로만 그것도, 기본형으로 연주하기 때문입니다. 또한 적은 분량의 책에 악전과 여러 가지의 음악 이론을 설명하여 기초가 없는 초보자들에게는 입문하기도 어렵고 실제적으로 도움이 되는 내용들이 별로 없게 만들어 버리는 결과를 초래하였습니다.

필자가 오랜 세월 음악 교사, 학원장, 교회 반주자 및 반주에 관심있는 애호가들을 대상으로 반주법 강좌를 해 오며 정리한 실용적인 방법을 소개코저 합니다. 악전 및 필요없는 이론은 과감히 삭제하고, 반주 그 자체에 도움이 되는 내용만 수록하려고 노력했습니다. 이 책에는 코드 사용법에 관한 기초적인 내용이 상세하게 전개되어 있어, 초등학생부터 성인에 이르기까지 쉽게 활용할 수 있도록 하였고, 핵심적인 것은 정리와 질의, 응답의 형태로 제시하였습니다. 반주에 관심있는 여러분에게 조금이나마 도움이 되었으면 하는 바램입니다.

편자 조상익

차 례

알아두어야 할 사항

반주법이 필요한 곳
(학원 레슨, 음악 수업, 교회 예배, 건전한 문화 생활)

❶ 학원의 피아노 레슨 때 :

'우리 아이는 전공 안 시키니 그냥 반주나 잘 가르쳐 줘요' 라는 말 만큼 틀린 얘기는 없습니다. 오히려 피아노 전공을 지망하는 사람부터 반주를 잘하려는 생각을 가져야 본인은 물론이고, 추후에 우리 나라 음악 발전을 위해서도 중요한 계기가 되는 것입니다. 즉, 솔로는 한 사람으로 족하지만 반주자가 필요한 곳은 너무나 많습니다.

❷ 학교나 유치원의 음악 수업 때 :

피아노 전공과 반주는 동일하게 나타나지 않습니다. 즉, 틀린 기능이므로 흥미롭고 진지한 음악 시간을 보내기 위해서는 재미있는 반주가 뒤따라야 함은 필수적입니다.

❸ 교회 예배 및 찬양 집회 때 :

예배 순서 중에 꼭 불러야 하는 찬송가 연주법은 꼭 전통 주법이 필요하며, 4부는 반주 악보가 아니고 성악 악보이므로 곡의 스타일에 따라 여러 형태로 편곡해 연주하여야 한다 .

❹ 건전한 문화 생활을 위하여 :

그 사람이 어떤 취미를 가졌느냐에 따라 삶의 여정은 피곤하기도 하고 환희와 기쁨에 차 있을 수 있습니다. 은퇴한 노년의 백발이 성성한 할머니가 피아노 앞에 앉아 [어메이징 그레이스]를 멋있게 반주하는 모습을 상상해 보라! 아니면 초등학교 딸 아이가 치는 [에델바이스]가 바로 그런 신선한 문화 생활의 일환이 아닐까요!

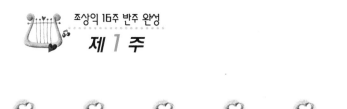
무엇이 다른가?

(반주법, 연주법, 재즈 피아노, 팝 피아노, 전통 재즈 피아노, 애드립 주법, 양손 반주)

❶ **반주법** : 주어진 멜로디에 왼손 반주와 빈 공간을 채워 넣으며 때로는 악보가 없이도 듣고서 반주해 낼 수 있도록 이론과 실기를 배우는 것을 말합니다. 멜로디 없이 코드로만 반주가 가능해야 합니다.

❷ **연주법** : 연주법이라는 개념은 이미 왼손과 오른손이 다 제시되어 있는 악보까지도 포함하며, 음악의 모든 영역에 해당되는 악곡의 해석법이라 할 수 있습니다.

❸ **재즈 피아노** : 즉흥적으로 변주해 치는 애드립 위주로 연주되어지는 피아노 기법.

❹ **팝 피아노** : 유행하는 파퓰러 음악을 멜로디 위주로 멋있게 치는 기법을 배우는 피아노 기법.

❺ **전통 재즈 피아노** : 국내에서 일반 팝 피아노와 구별하기 위해 자주 사용하는 용어로 반주법이나 팝 피아노가 아닌 애드립을 위주로 하는 빌 에반스나 오스카 페터슨의 음악을 얘기할 때 사용하는 피아노 기법.

❻ **애드립 주법** : 12~16마디의 원곡을 연주한 다음 그 곡을 바탕으로 연주자가 즉석에서 창작해 연주하는 기법. 긴 박을 채워 넣는 것을 Fill-in이라고 하며, 애드립이라고 하지 않습니다.

❼ **오른손 멜로디 치는 주법** : 주어진 멜로디를 오른손으로 치면서 왼손은 반주를 붙여서 연주하는 기법.

❽ **리듬으로 치는 주법** : 멜로디를 빼고 그 곡의 상황에 맞는 리듬을 구사하여 치는 기법으로 상당한 연구와 노력이 필요합니다.

★**결 론** 반주법과 재즈 피아노가 나뉘는 것이 아니고 서로 영향을 미치고 있으므로, 찬송가를 재즈 기법으로 반주하면 찬송가 반주법이 되는 것이며, 반주법에는 옛날부터의 클래식 반주법에 팝 주법이나 여러 가지 현대 주법이 서로 어우러져 발전하고 있으므로 반주법을 정확히 마스터하는 길이야말로 다른 장르의 음악도 통달하게 되는 지름길임을 얘기해 둡니다.

무엇을 어떻게 하면 반주를 잘할 수 있는가?

첫째, 코드를 자유롭게 사용할 수 있어야 한다.

C, F, G를 탈피해서 복잡한 코드도 체계적으로 배우면 어렵지 않습니다. 처음부터 C, F, G를 탈피해야 하며, 10~20년간 피아노를 배워 베토벤의 소나타나 쇼팽의 즉흥 환상곡을 치는 수준이라도, 반주는 잘 안 되는 분들이 주위에 너무 많습니다. 그 이유는 C, F, G를 탈피한 공부가 약하기 때문입니다.

둘째, 리듬에 대하여 일가견을 가져야 합니다.

이 문제는 너무도 중요한 부분인데 정확한 안내는 없습니다. 피아노나 기타 또는 베이스나 드럼에 따라서 같은 리듬이라도 쓰는 기법이 틀리므로 피아노 왼손으로 복잡하게 반주하는 것은 실제적으로는 아무 필요없는 시끄러운 음악만 만들게 됩니다. 리듬은 약100가지가 되지만 실제 기초 반주법에서는 3~4가지만 잘 배워도 훌륭한 반주를 할 수 있게 됩니다.

셋째, 처음부터 필 인(Fill-in)을 사용해야 합니다.

오른손으로 멜로디만 대부분 배우고 마지막에 Fill-in 기법에 대한 약간의 설명으로는 적용시킬 수 없습니다. 처음 곡부터 어렵지 않게 긴 박을 Fill-in 기법으로 채우는 훈련을 해야 합니다.

넷째, 왼손 기법은 오른손 멜로디 못지 않게 중요하므로 처음부터 베이스 라인(Bass Line)의 여러 기법을 정리하여서 훈련하면 아주 다양한 반주를 할 수 있는 기초가 됩니다.

알아두어야 할 사항

언제부터 반주법을 익혀야 하는가?

초등학교 1학년부터 단선율 위의 멜로디만 놓고서 반주하는 훈련을 한다면 이 어린이가 대학생이 되었을 때는 정말 훌륭한 반주자로 성장해 있을 것입니다. 아! 너무 늦어서(30대 중반) 안 된다구요? 그러나 지금이 제일 빠른 때임을 느끼고, 초등학생 마음처럼 시작하는 것이 잘 안 되는 반주를 정복하는 지름길입니다.

반주법을 병행하지 않는 피아노 교육은 이상한 피아니스트를 양산하는 잘못된 음악 교육의 실패로 끝날 것이며, 결국은 베토벤의 비창 소나타는 잘 치지만 반주는 바이엘 정도 밖에 안 되는 모순을 만들 것입니다. 자! 지금부터 시작합시다!

훌륭한 반주자가 되기 위하여 어떤 점에
지속적인 관심을 가져야 하는가?

훌륭한 반주자가 되기 위하여 어떤 점에 지속적인 관심을 가져야 하는가?

첫째, 코드를 확실하게 마스터합니다.

어려우면 C, F, G부터 출발하되 코드 네임을 보고 연주 못하는 코드가 없도록 단계적으로 정복합니다.

둘째, 아무리 코드를 많이 알아도 진행법을 모르면 소용이 없습니다.

코드 진행법에 관심을 가져서 멋있는 진행을 알게 되면 자꾸 연습하여 내 것으로 만듭니다.

셋째, 진행법을 알아도 연주하는 위치가 올바르지 않으면 소리는 불쾌하고 시끄럽게 납니다.

중요한 사실은 어릴 때부터 불쾌한 소리에 익숙하면 금방 고쳐지기 힘든 습관이 되어 버립니다. 아름다운 소리가 나는 위치에서 항상 연습합시다.

조상익 스타일 반주법 소개

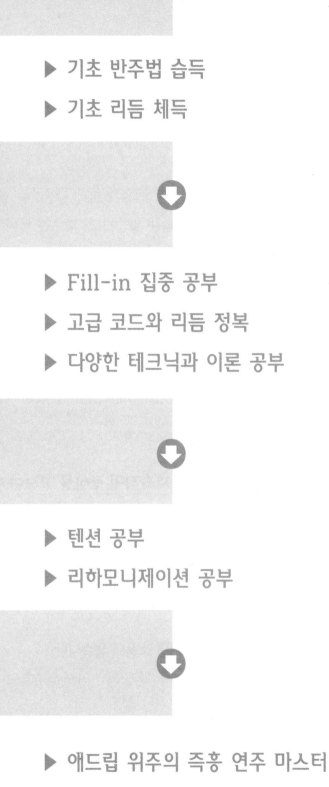

▶ 기초 반주법 습득
▶ 기초 리듬 체득

▶ Fill-in 집중 공부
▶ 고급 코드와 리듬 정복
▶ 다양한 테크닉과 이론 공부

▶ 텐션 공부
▶ 리하모니제이션 공부

▶ 애드립 위주의 즉흥 연주 마스터

이론편

- 코드의 기본형 마스터

- 주요3화음과 부3화음 마스터

- 다(C)장조 코드 연결법 마스터

이론 마스터 ❶
〔음계상의 3화음과 7화음〕

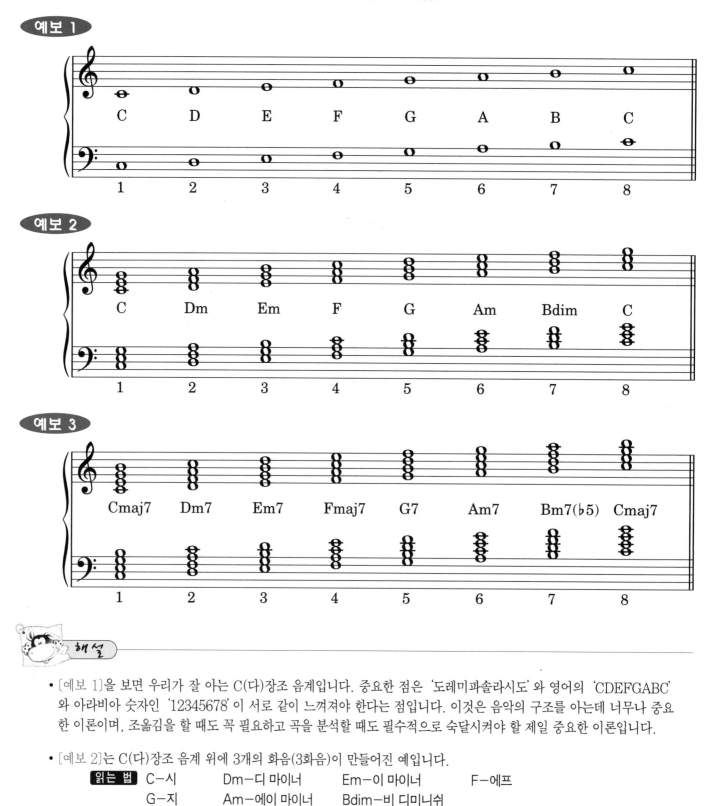

해설

- 〔예보 1〕을 보면 우리가 잘 아는 C(다)장조 음계입니다. 중요한 점은 '도레미파솔라시도'와 영어의 'CDEFGABC' 와 아라비아 숫자인 '12345678'이 서로 같이 느껴져야 한다는 점입니다. 이것은 음악의 구조를 아는데 너무나 중요한 이론이며, 조옮김을 할 때도 꼭 필요하고 곡을 분석할 때도 필수적으로 숙달시켜야 할 제일 중요한 이론입니다.

- 〔예보 2〕는 C(다)장조 음계 위에 3개의 화음(3화음)이 만들어진 예입니다.

  읽는 법 C—시   Dm—디 마이너   Em—이 마이너   F—에프

  　　　　 G—지   Am—에이 마이너   Bdim—비 디미니쉬

- 〔예보 3〕은 C(다)장조 음계 위에 4개의 화음(7화음)이 만들어진 예입니다.

  읽는 법 Cmaj7—시 메이저 세븐   Dm7—디 마이너 세븐   Em7—이 마이너 세븐

  　　　　 Fmaj7—에프 메이저 세븐   G7—지 세븐   Am7—에이 마이너 세븐

  　　　　 Bm7-5—비 마이너 세븐 플랫 화이브

위 코드들의 읽는 법을 숙달하세요.

이론 마스터 ❷

〔주요3화음과 부3화음〕

예보 4

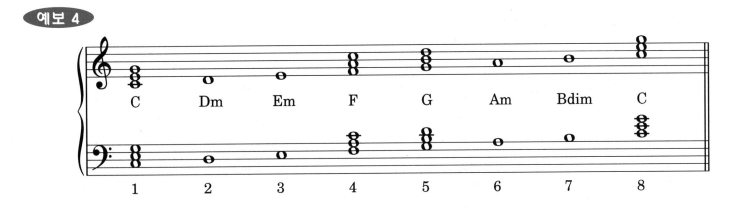

예보 5

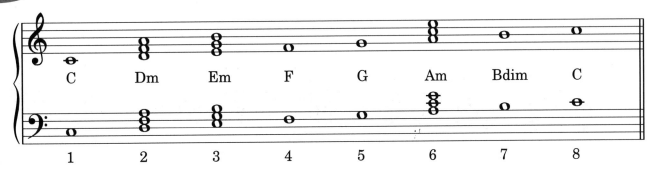

해설

- 앞 장에서 공부한 코드 중에서 1, 4, 5번 코드는 아주 많이 사용되는 중요한 코드로 주요3화음이라고 합니다.

- 2, 3, 6번 코드는 부3화음이라고 합니다.

정리	주요3화음	1: C	부3화음	2: Dm
		4: F		3: Em
		5: G		6: Am

몇 도 화음이 주요3화음이고, 몇 도 화음이 부3화음인지 숙달하세요.

이론 마스터 ❸
〔7(세븐)화음〕

예보 6 기본적인 7화음표

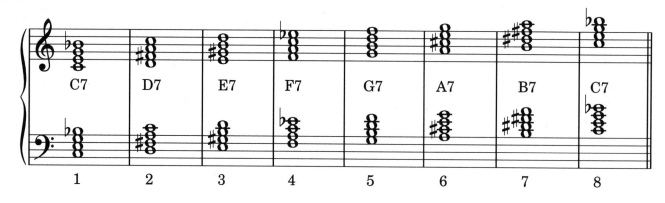

C7	D7	E7	F7	G7	A7	B7	C7
1	2	3	4	5	6	7	8

예보 7 ♯계열의 7화음표

C♯7   D♯7   E♯7(F7)   F♯7   G♯7   A♯7   B♯7(C7)   C♯7

⭐ 이론적으로는 가능하나
사용이 안 되는 7코드
(=F7)

⭐ 이론적으로는 가능하나
사용이 안 되는 7코드
(=C7)

예보 8 ♭계열의 7화음표

C♭7(B7)   D♭7   E♭7   F♭7(E7)   G♭7   A♭7   B♭7   C♭7(B7)

해설

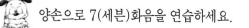

- 전 시간에 공부한 주요3화음과 부3화음이 기억나세요?

  정리

주요3화음	1: C	부3화음	2: Dm
	4: F		3: Em
	5: G		6: Am

- 위의 주요3화음, 부3화음과 함께 아주 중요한 화음은 〔예보 3〕의 5번 화음인 G7화음입니다. 주요3화음의 5번화음인 G코드와 같은 역할을 하며 더 부드러운 효과를 냅니다. 〔예보 6〕은 C(다)장조 음계 위에 만들어진 7(세븐)화음 표입니다.

양손으로 7(세븐)화음을 연습하세요.

이론 마스터 ❹

〔다(C)장조 코드 연결법〕

예보 9

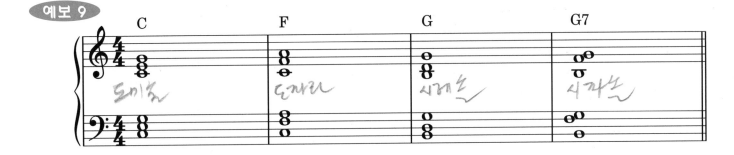

도미솔 　　　　　 슬재라 　　　　　 시래손 　　　　　 시과손

예보 10

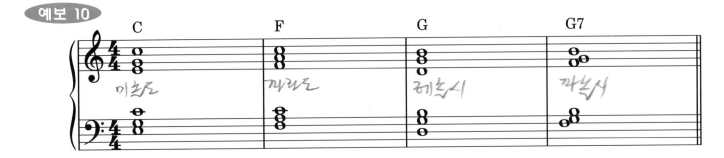

미솔도 　　　　　 까라도 　　　　　 레손시 　　　　　 과손사

예보 11

솔래 　　　　　 라르라 　　　　　 손시레 　　　　　 손사자

예보 12

예보 13

예보 14

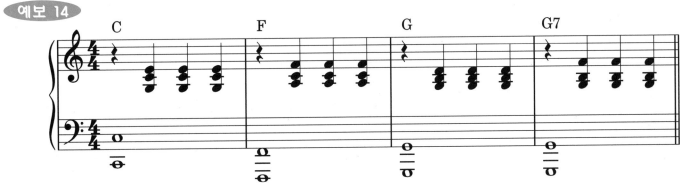

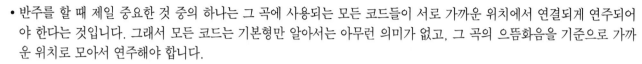
조상익 16주 반주 완성

제 2 주

해설

- 반주를 할 때 제일 중요한 것 중의 하나는 그 곡에 사용되는 모든 코드들이 서로 가까운 위치에서 연결되게 연주되어야 한다는 것입니다. 그래서 모든 코드는 기본형만 알아서는 아무런 의미가 없고, 그 곡의 으뜸화음을 기준으로 가까운 위치로 모아서 연주해야 합니다.

  이 방법은 처음 반주법을 배울 때부터 철저하게 훈련되어야 하며 나중에 몸에 기본형으로만 배어 있는 사람은 고치기가 힘들어 틀린 반주법으로 연주하게 됩니다.

- [예보 9, 10, 11]은 C, F, G, G7의 3가지 연결형을 제시한 예입니다.
  양손으로 철저하게 연습하세요.

- [예보 12]는 [예보 9]의 위치에서 왼손을 〈알베르티 베이스〉로 분산하고 있는 형태입니다.

- [예보 13]은 [예보 10]의 위치에서 양손으로 멜로디없이 반주한 예입니다.

- [예보 14]는 [예보 11]의 위치에서 양손으로 멜로디없이 반주한 예입니다.

아래의 예보를 능숙하게 연주하도록 숙달하세요.

고향의 봄

예보 15

이원수 작사
홍난파 작곡

나의 살 - 던 고 향은 꽃 피 는 산 - 골

복 숭 아 꽃 살 구 - 꽃 - 아 기 진 달 - 래

울 긋 불 긋 꽃 - 대 궐 차 린 - 동 - 네

그 속 에 서 놀 던 - 때 가 그 립 습 니 - 다

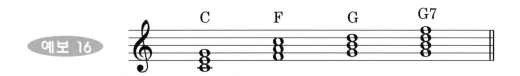 해설

- 너무도 아름답고 유명한 「고향의 봄」입니다. 이렇게 멜로디와 코드만 나와 있을 때 또는 코드 기호가 없이 멜로디만 나와 있을 때, 즉석에서 능숙하게 연주해 내기 위해서 필요한 공부가 바로 반주법 공부입니다.
제일 먼저 모르는 코드가 없어야 합니다.

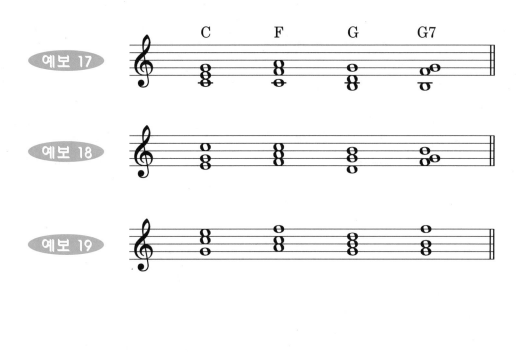

- 기억나세요? 위의 코드는 기본형으로만 되어 있어서 반주할 때는 연결형으로 바꾸어 주어야 한다는 사실!

위의 [예보 17, 18, 19]번을 이용하여 [예보 15]의 「고향의 봄」을 반주해 보세요.

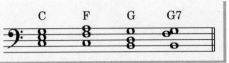

예보 20 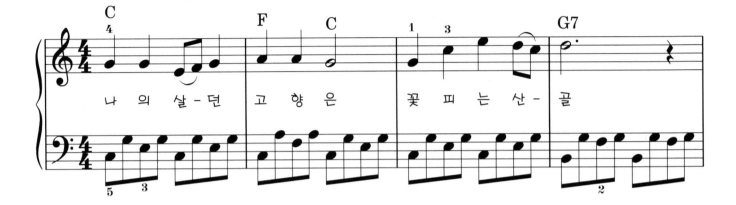 의 연결형을 사용한 반주 스타일 예 ①

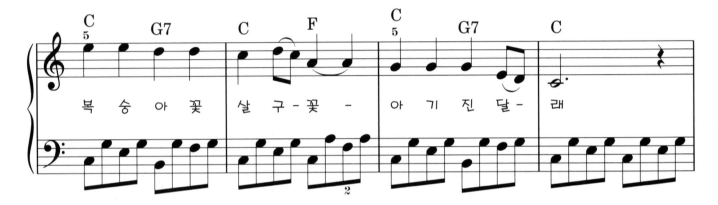

나 의 살 - 던 고 향 은 꽃 피 는 산 - 골

복 숭 아 꽃 살 구 - 꽃 - 아 기 진 달 - 래

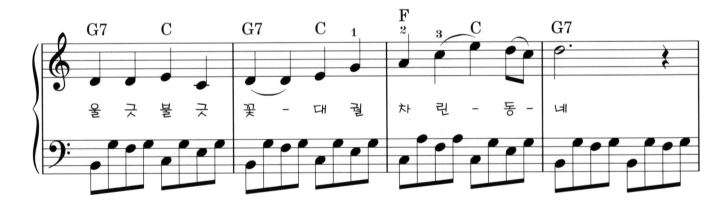

울 긋 불 긋 꽃 - 대 궐 차 린 - 동 - 네

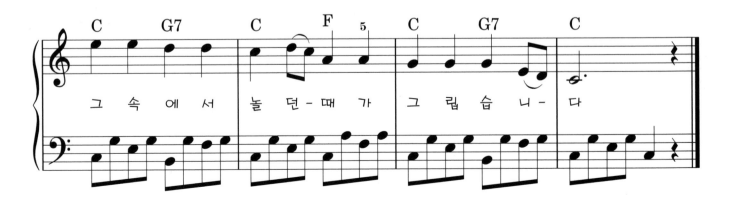

그 속 에 서 놀 던 - 때 가 그 립 습 니 - 다

예보 21  의 연결형을 사용한 반주 스타일 예 ②

나 의 살 - 던 고 향 은 꽃 피 는 산 - 골

복 숭 아 꽃 살 구 - 꽃 - 아 기 진 달 - 래

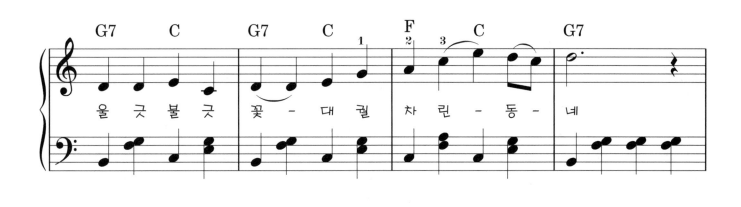

울 긋 불 긋 꽃 - 대 궐 차 린 - 동 - 네

그 속 에 서 놀 던 - 때 가 그 립 습 니 - 다

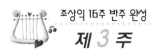

조상익 16주 반주 완성

제 3 주

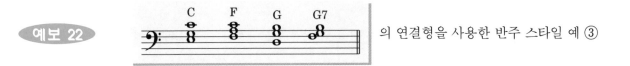

의 연결형을 사용한 반주 스타일 예 ③

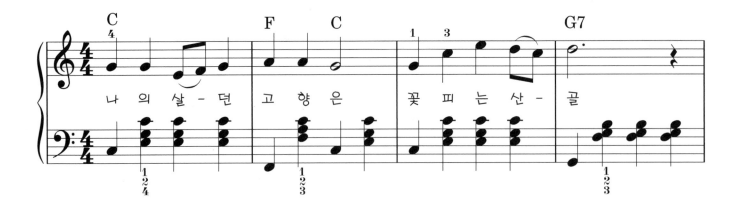

예보 23

의 연결형을 사용한 반주 스타일 예 ④

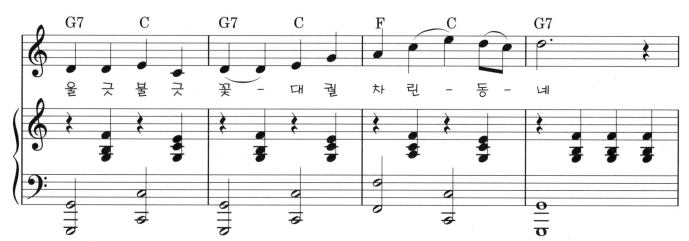

예보 24   의 연결형을 사용한 반주 스타일 예 ⑤

나 의 살-던 고 향 은 꽃 피 는 산-골

복 숭 아 꽃 살 구-꽃 - 아 기 진 달-래

울 긋 불 긋 꽃 - 대 궐 차 린-동-네

그 속 에 서 놀 던-때 가 그 립 습 니-다

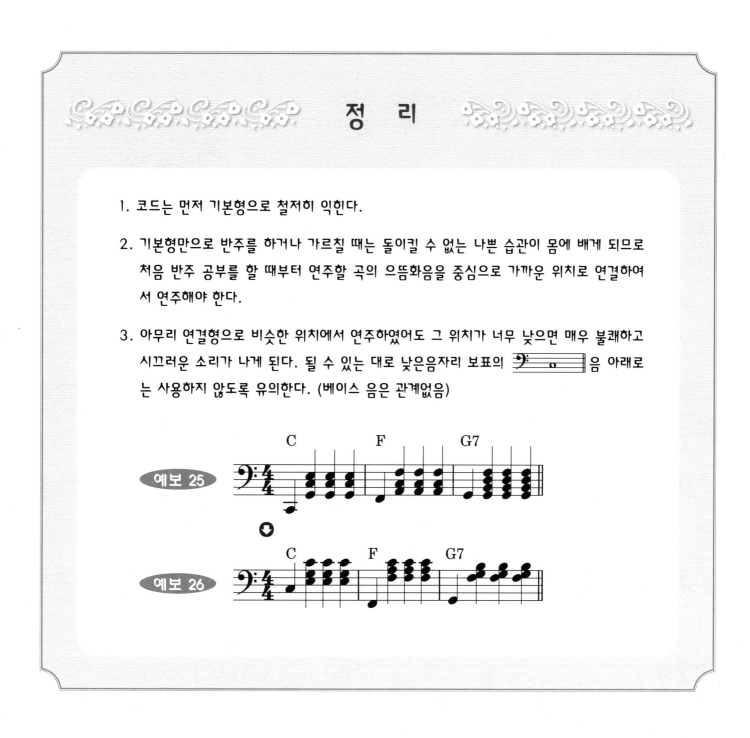

정 리

1. 코드는 먼저 기본형으로 철저히 익힌다.

2. 기본형만으로 반주를 하거나 가르칠 때는 돌이킬 수 없는 나쁜 습관이 몸에 배게 되므로 처음 반주 공부를 할 때부터 연주할 곡의 으뜸화음을 중심으로 가까운 위치로 연결하여서 연주해야 한다.

3. 아무리 연결형으로 비슷한 위치에서 연주하였어도 그 위치가 너무 낮으면 매우 불쾌하고 시끄러운 소리가 나게 된다. 될 수 있는 대로 낮은음자리 보표의 음 아래로는 사용하지 않도록 유의한다. (베이스 음은 관계없음)

[예보 20~24]까지의 반주형으로 모든 곡들을 연주할 수 있어야 합니다. 먼저 「고향의 봄」부터 철저히 연습한 다음, 다른 악보로도 이와 같이 5가지 스타일로 연습해 봅시다.

23

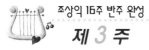

제 3 주

Q & A   질문 사항

Q 어느 정도 반주법의 기본에 대해서 알 것 같은데요.
$\frac{4}{4}$ 박자 이외 $\frac{3}{4}$, $\frac{2}{4}$, $\frac{6}{8}$ 박자에서는 어떻게 반주해야
하나요?

예보 27 $\frac{3}{4}$ 박자 반주법

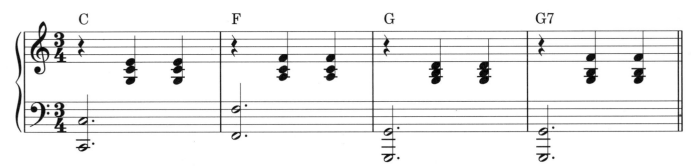

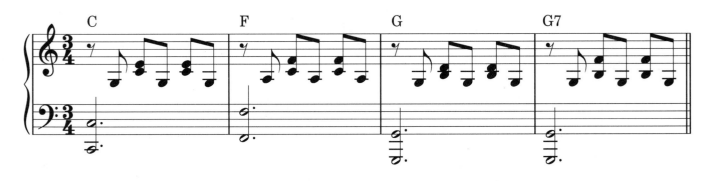

은과 금 나 없어도

예보 28 $\frac{3}{4}$ 반주법의 예

⭐ 시음(3음)이 중복되므로
레로 칩니다.

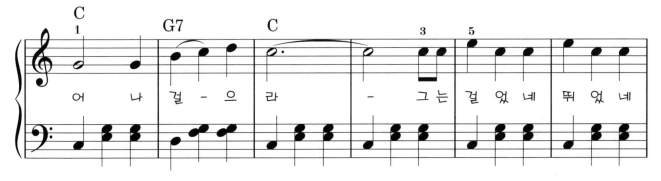

⭐ 시음(3음)이 중복되므로
레로 칩니다.

⭐ 끝나기 직전의
C 코드는 솔을
칩니다.

⭐ 마지막의 G 코드는
솔을 치는 것이 시를
치는 것보다 좋습니다.

⭐ 끝나는 느낌이 나기
위한 방법입니다.

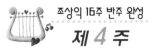

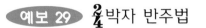 예보 29 $\frac{2}{4}$박자 반주법

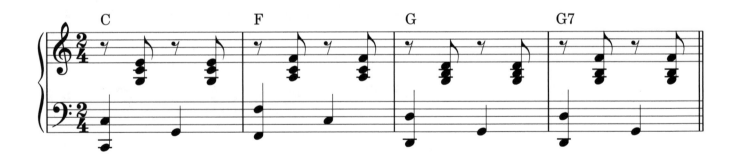

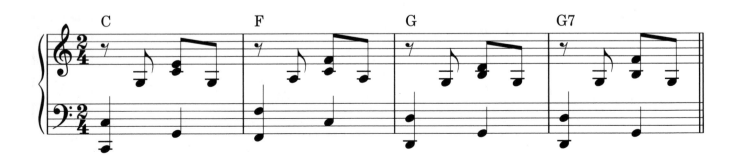

도 레 미 송

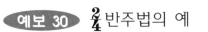

예보 30 ²⁄₄ 반주법의 예

리차드 로저스 작곡

도 는 예 쁜 도 라 지 레 는 새 콤 한 레 몬

⭐ 경과적으로 재미있게
처리하였습니다.

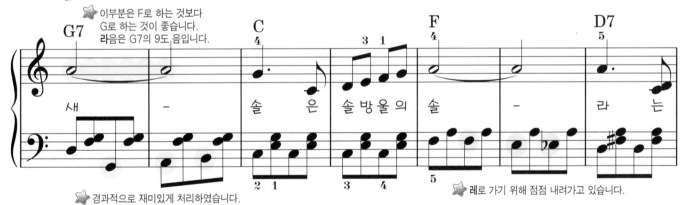

- 미 는 파 란 미 나 리 파 는 예 쁜 파 랑

⭐ 이부분은 F로 하는 것보다
G로 하는 것이 좋습니다.
라음은 G7의 9도 음입니다.

새 - 솔 은 솔 방 울 의 솔 - 라 는

⭐ 경과적으로 재미있게 처리하였습니다.

⭐ 레로 가기 위해 점점 내려가고 있습니다.

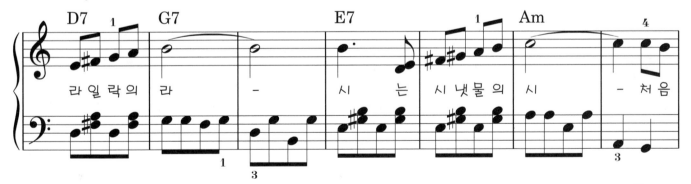

라 일 락 의 라 - 시 는 시 냇 물 의 시 - 처 음

부 터 다 시 불 러 보 자 도 도 레 미 파 솔 라 시 도 솔 도

⭐ 오른손과 반대 방향으로 가고 있습니다.

27

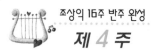

예보 31 $\frac{6}{8}$박자 반주법

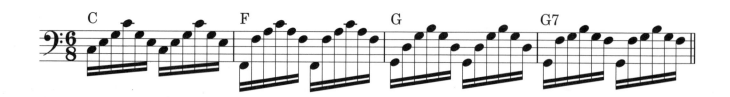

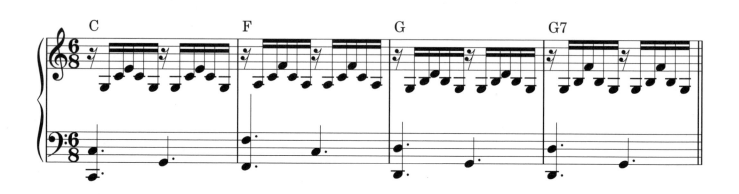

하늘나라 동화

예보 32 6/8 반주법의 예

이강산 작사
이강산 작곡

동 산 위 에   올 라 서 서   파 란 하 늘 바 라 보   며

⭐ 음계를 이용하여 다음
마디의 첫음으로 갑니다.

천 사 얼 굴   선 녀 얼 굴   마 음 속 에 그 려 봅 니   다

⭐ 음계로 내려가서 다음
마디의 첫음으로 부드럽
게 이어집니다.

하 늘 끝 까 지   올 라 - 실 바   람 을 끌 어 안   고 - - - 날 개

⭐ 겹음으로 올라가는 것도
재미있지요?

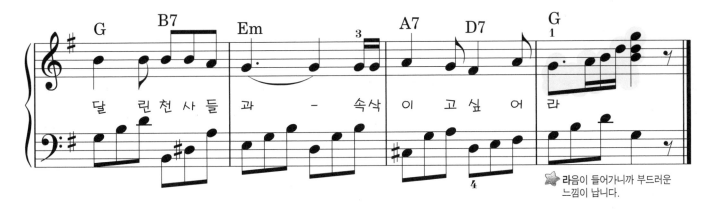

달 린 천 사 들   과 - 속 삭   이 고 싶 어   라

⭐ 라음이 들어가니까 부드러운
느낌이 납니다.

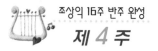

쉽게 치는 왼손 반주법 총정리

예보 33 **이론 마스터**

① **3/4 박자 치는 법**

② **4/4 박자 치는 법**

③ **2/4 박자 치는 법**

④ **6/8 박자 치는 법**

실습편

- 코드의 기본형을 외울 것.

- 곡에 나오는 모든 코드를 가까운 위치로
  연결할 것.

- 울림이 가장 좋은 위치에서 반주할 것.

실 · 습 · 곡 · 편

지금까지 배워 온 내용을 총정리합니다. 제일 중요한 내용은 코드의 기본형을 철저히 익히고 실제곡을 연주할 때는 절대로 기본형만으로 쳐서는 안 된다는 것입니다. 또, 연결형으로 연주하였어도 그 위치가 너무 낮으면 아주 불쾌한 소리가 나기 때문에 처음부터 좋은 소리가 나는 위치에서 여러 가지 어울리는 반주형을 찾아서 아름답게 연주하여야 합니다. 그리고 $\frac{4}{4}$, $\frac{3}{4}$, $\frac{2}{4}$, $\frac{6}{8}$ 박자의 기초 리듬들이 나왔을 때 당황하지 말고 앞에서 제시된 여러 가지 형태의 반주형 중에서 쉬운 것부터 서두르지 말고 하나씩 마스터하는 것이 정확한 반주법을 익히는 제일 빠른 길입니다.

다음의 실습곡들을 앞에 예로 든 방법으로 멋있게 쳐 보세요!

4/4 실습곡

우리 유치원

박화목 작사
한용희 작곡

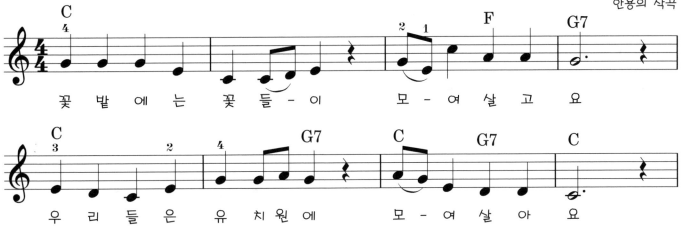

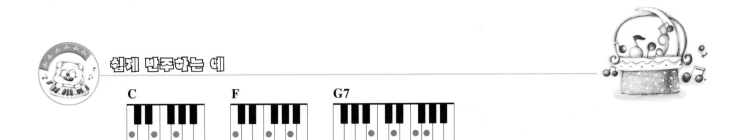

쉽게 반주하는 예

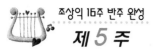
작은별

모차르트 작곡

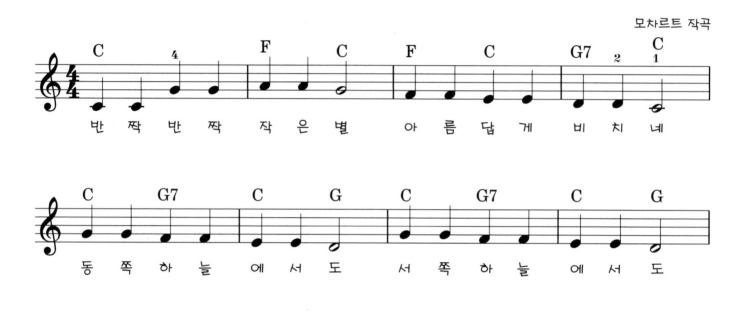

반 짝 반 짝 작 은 별 아 름 답 게 비 치 네

동 쪽 하 늘 에 서 도 서 쪽 하 늘 에 서 도

반 짝 반 짝 작 은 별 아 름 답 게 비 치 네

쉽게 반주하는 예

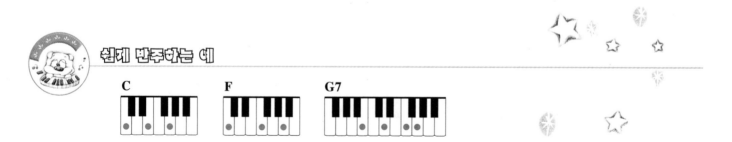

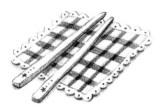

3/4 실습곡

똑같아요

윤석중 작사
외 국 곡

무 엇 이 무 엇 이 똑 같 은 가

젓 가 락 두 짝 이 똑 같 아 요

쉽게 반주하는 데

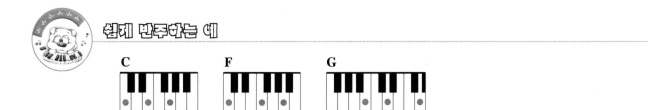

에델바이스

로저스 작곡

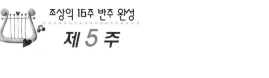

제 5 주

2/4 실습곡

햇볕은 쨍쨍

최옥란 작사
홍난파 작곡

햇 볕 은 쨍 쨍 모 래 알 은 반 짝

모 래 알 로 떡 해 놓 고 조 약 돌 로 소 반 지 어

언 니 누 나 모 셔 다 가 맛 있 게 도 냠 냠

쉽게 반주하는 예

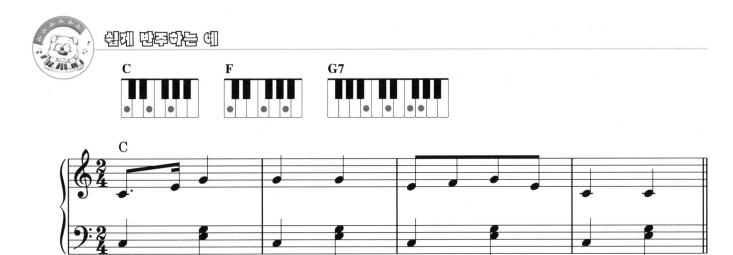

바둑이 방울

김규환 작사
김규환 작곡

6/8 실습곡

오빠 생각

최순애 작사
박태준 작곡

뜸 복 뜸 복 뜸 복 새   논 - 에 서 울 고 -

뻐 꾹 뻐 꾹 뻐 꾹 새   숲 에 서 - 울 제 -

우 리 오 빠 말 타 고 서 울 가 - 시 면 -

비 단 구 - 두 사 가 지 고 오 - 신 다 더 니 -

쉽게 반주하는 예

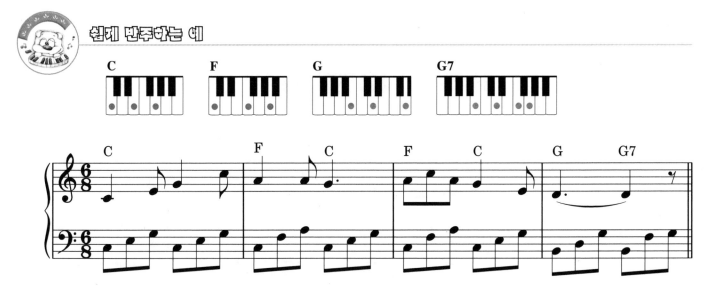

어머님 은혜

윤춘병 작사
박재훈 작곡

높 고 높 은 하 늘 이 라 말 들 하 - 지 만 -

나 는 나 는 높 - 은 게 또 하 나 - 있 지 -

낳 으 시 고 기 르 시 는 어 머 님 - 은 혜 -

푸 른 하 늘 그 보 다 도 높 은 것 - 같 애 -

쉽게 반주하는 예

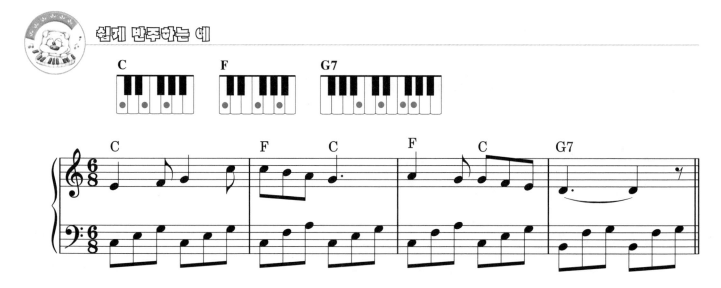

Q & A 질문 사항

Q C장조 외의 곡도 잘 칠 수 있도록 하는데 주의할 점은 없는지요?

A 좋은 질문입니다.

각 조별로 숙달하는 문제는 ♯이나 ♭이 많은 조를 잘 치는 것 이상으로 여러 가지 관점에서 중요한 공부입니다. 반주하는데 가장 힘든 문제 중의 하나인 조옮김을 자유 자재로 하기 위해서는 12조성에 대한 숙달이 필수입니다.

단순한 1, 4, 5도 화음만 익힐 게 아니라 최근의 교회 복음송이나 찬송가 또는 창작 동요나 가요에서 사용되는 여러 가지 복잡한 장7화음, 단7화음, 감7화음 등도 익혀 두어야 반주법을 제대로 공부했다고 볼 수 있습니다. 어렵다고 나중으로 미룰 것이 아니라 처음부터 익혀 나가면 아주 쉬워집니다. 그래도 어려운 분은 우선 주요3화음 정도만 익힌 후, 다시 처음부터 복습할 때 익히시기 바랍니다.

① M7 코드
〔메이저 세븐 코드, 장7화음〕

중 요 한 화 음 공 부

표기법 : M7＝maj7＝△7（CM7＝Cmaj7＝C△7）

예보 34

② m7 코드

〔마이너 세븐 코드, 단7화음〕

표기법 : Cm7

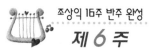
③ dim7 코드

〔디미니쉬 세븐 코드, 감7화음〕

표기법 ; dim7 = °7 = ⁻7(Cdim7 = C∘7 = C⁻7)

예보 36

④ Augmented 코드

〔오그멘트 코드, 증화음〕

표기법 ; Aug = + (Caug=C⁺)

예보 37

각·조·별·실·습·곡

다음에 제시되는 실습곡들은 먼저 제시된 각 조에서 많이 사용되는 화음표를 충분히 익힌 다음 처음부터 연결형으로 반주하세요.

제일 주의할 점은 불쾌하고 무거운 소리가 나지 않도록 왼손 화음의 위치를 잘 선택하여서 연주하도록 하세요.

C(Am)조 이론 마스터 스케일과 코드 모음

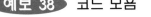

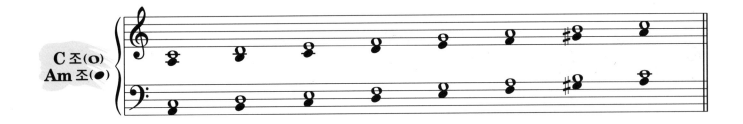

예보 38 코드 모음

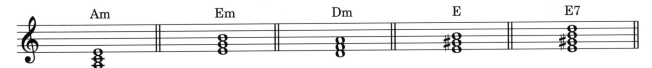
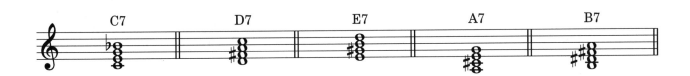

꼬꼬마 텔레토비

맥로리, 쉔드 작곡

보 라 돌 이 - 뚜 비 나 나 뽀

텔 레 토 비 - 텔 레 토 비 - 친 구 들 안 녕

쉽게 반주하는 예

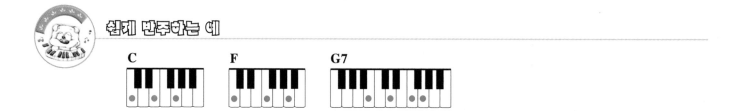

⭐「베이스 라인」을 사용해서
오른손 긴박의 단조로움을
해결했습니다.

⭐때로는 내려가기도
재미있습니다.

⭐C코드에서 G코드의 첫음까지
부드럽게 이어줍니다.

긴머리 소녀

오세복 작사
오세복 작곡

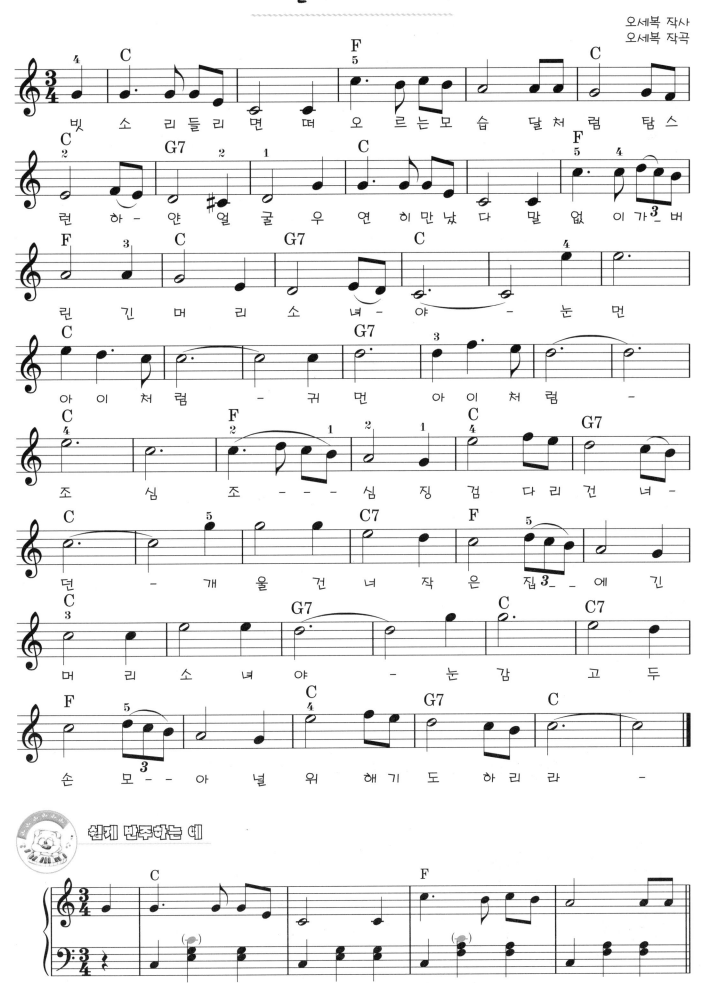

빗 소 리 들 리 면 떠 오 르 는 모 습 달 처 럼 탐 스

런 하 - 얀 얼 굴 우 연 히 만 났 다 말 없 이 가 _ 버

린 긴 머 리 소 녀 - 야 - 눈 먼

아 이 처 럼 - 귀 먼 아 이 처 럼 -

조 심 조 - - 심 징 검 다 리 건 녀 -

던 - 개 울 건 녀 작 은 집 3 _ _ 에 긴

머 리 소 녀 야 - 눈 감 고 두

손 모 - - 아 널 위 해 기 도 하 리 라 -

쉽게 반주하는 예

☆ 너무 쉬우면 **도**음을 추가해도 됩니다.   ☆ 너무 쉬우면 **도**음을 추가해도 됩니다.

49

'로미오와 줄리엣'의 테마

로타 작곡

D. S.

쉽게 반주하는 예

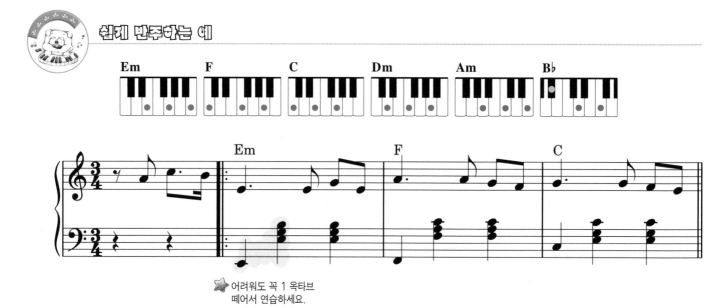

⭐ 어려워도 꼭 1 옥타브
떼어서 연습하세요.

실 로 암

신상근 작사
신상근 작곡

어 두 운 밤 에 캄 캄 한 밤 에 새 벽 을 찾

아 떠 난 다 - 종 이 울 리 고 닭 이 울 어

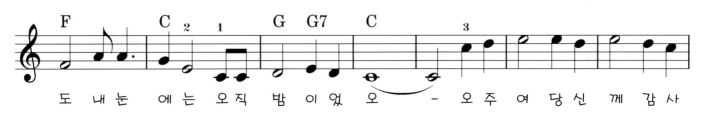

도 내 눈 에 는 오 직 밤 이 었 오 - 오 주 여 당 신 께 감 사

하 리 라 실 로 암 내 게 주 심 을 - 나 에 게 영 원

한 이 꿈 속 에 서 깨 이 지 않 게 하 소 서 -

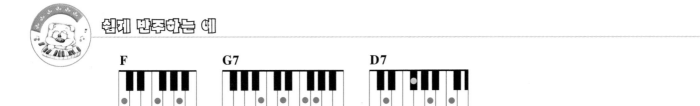

쉽게 반주하는 예

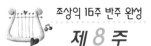

날아라 슈퍼보드

김수철 작사
김수철 작곡

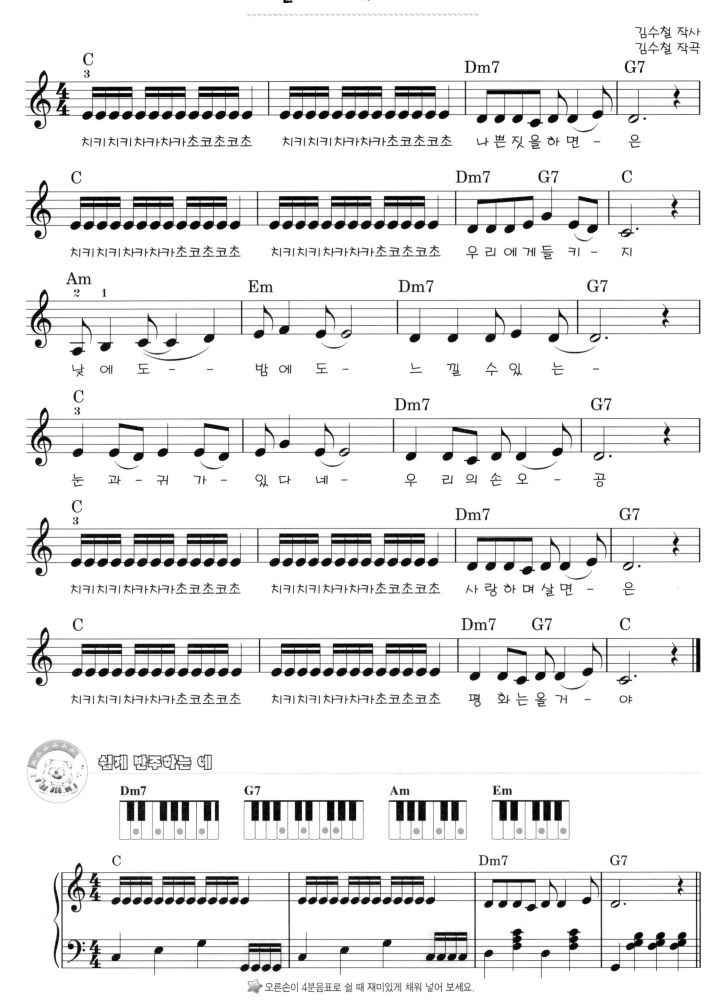

치키치키차카차카초코초코초 치키치키차카차카초코초코초 나쁜짓을하면 - 은

치키치키차카차카초코초코초 치키치키차카차카초코초코초 우리에게들키 - 지

낮에도 - - 밤에도 - 느낄수있는 -

눈과 - 귀가 - 있다네 - 우리의손오 - 공

치키치키차카차카초코초코초 치키치키차카차카초코초코초 사랑하며살면 - 은

치키치키차카차카초코초코초 치키치키차카차카초코초코초 평화는올거 - 야

쉽게 반주하는 예

오른손이 4분음표로 쉴 때 재미있게 채워 넣어 보세요.

F(Dm)조 이론 마스터 〉 스케일과 코드 모음

F 조(○)
Dm 조(●)

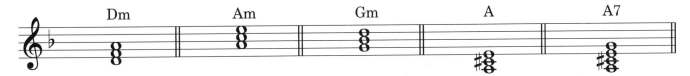

예보 39 코드 모음

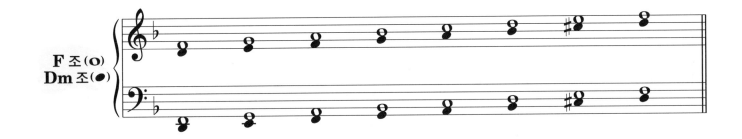

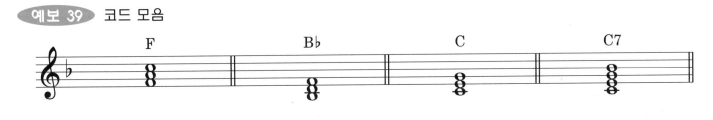

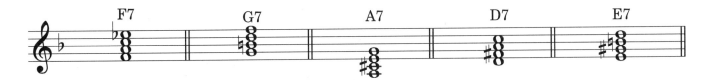

비 행 기

외국 동요

떴 다 떴 다 비 행 기 날 아 라 날 아 라

하 늘 높 이 날 아 라 우 리 비 행 기

쉽게 반주하는 예

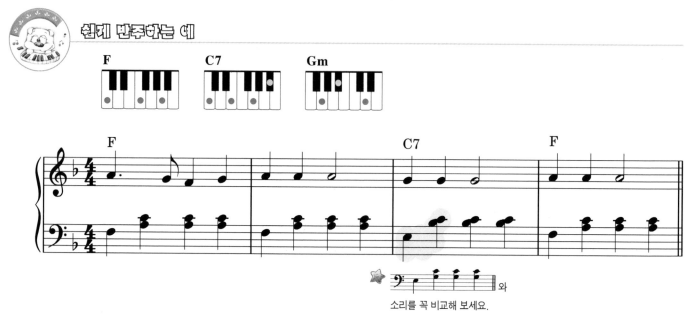

소리를 꼭 비교해 보세요.

텔레비전

정 근 작사
정 근 작곡

텔 레 비 전 에 내가나왔으 면 정 말 좋 겠 네 - 정 말 좋 겠 네

춤 추 고 노 래 하 는 예 쁜 내 얼 굴

텔 레 비 전 에 내가나왔으 면 정 말 좋 겠 네 - 정 말 좋 겠 네

쉽게 반주하는 예

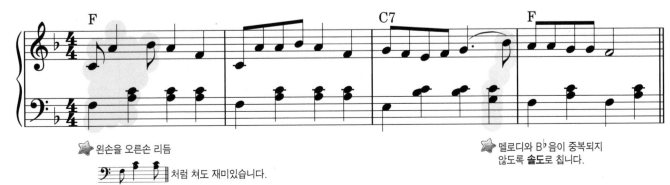

⭐ 왼손을 오른손 리듬

처럼 쳐도 재미있습니다.

⭐ 멜로디와 B♭음이 중복되지
않도록 솔도로 칩니다.

작 별

스코틀랜드 민요

오 랫 동안 사 귀 - 던 정 든 내친 구여 작

별 이란 웬 말 인가 가 야 만 하는 가 어

디 간 들 잊 으 리요 두 터 운우 리 정 다

시 만 날 그 날 위 해 노 래 를부 르 자

쉽게 반주하는 예

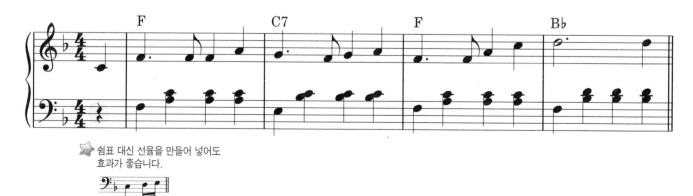

⭐ 쉼표 대신 선율을 만들어 넣어도
효과가 좋습니다.

종 소 리

Dm

종 소 리 가 은 은 하 게 들 려 온 다 희 망 의
딩 동 댕 동 딩 동 — 댕 들 려 온 다 바 람 결

Dm   **1. E7**   **A7**   **2. A7**   **Dm**

앞 날 을 알 려 주 려
따 — 라   저 멀 리 서

Dm   **G**   **Gm**

꿈 결 속 에 울 리 는 맑 은 소 리 나 — 의
희 망 — 을 심 어 준 종 소 리 에 방 긋 이

Dm   **1. E7**   **A7**   **2. A7**   **Dm**

단 잠 을 깨 웠 지 만
미 소 를   지 었 지 요 희

Gm   **Dm**   **A7**   **Dm**

망 의 종 소 리 들 려 온 다

쉽게 반주하는 예

Dm   **Gm**   **E7**   **A7**

⭐ Gm로 계속하는 것과 G → Gm로
가는 음색의 차이를 느껴 보세요.

Dm   **G**   **Gm**

G(Em)조 이론 마스터 스케일과 코드 모음

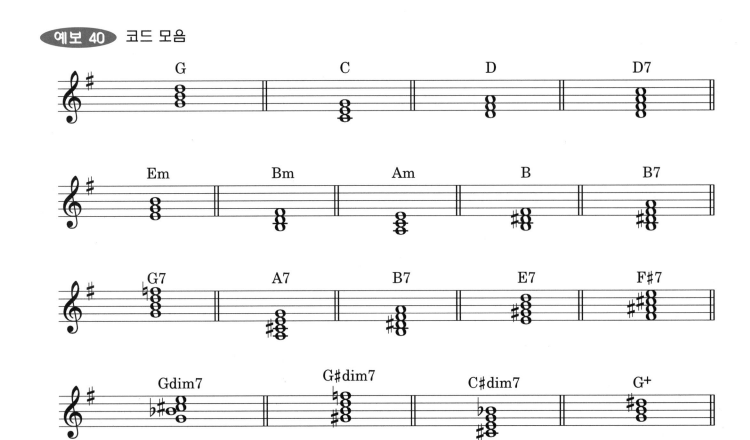

G조 (○)
Em 조 (●)

예보 40 코드 모음

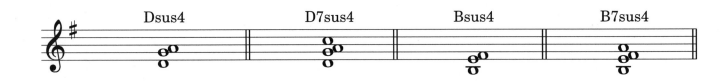

내게 강같은 평화

흑인 영가

⭐ 때로는 2분음표로
쉬어도 됩니다.

금지된 장난

스페인 민요

하 늘 은 파 랑 게 말 없 이 개 이 고

구 름 은 멀 - 리 흘 러 서 사 라 져

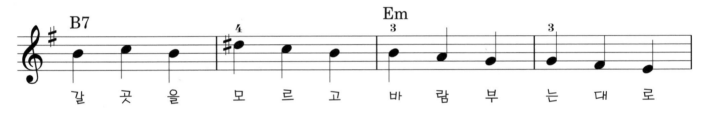

갈 곳 을 모 르 고 바 람 부 는 대 로

방 황 하 는 소 - 녀 -

 쉽게 반주하는 예

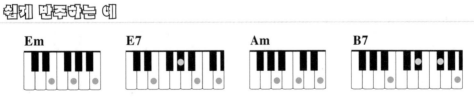

☆ 반주가 단조로우면 넓게 풀어도 됩니다.

환희의 송가

베토벤 작곡

기 뻐 하 며 경 배 하 세 영 광 의 주 하 나 님

주 앞 에 서 우 리 마 음 피 어 나 는 꽃 같 아

죄 와 슬 픔 사 라 -지 고 의 심 -구 름 걷 히 니 변

- 함 없 는 기 쁨 의 주 - 밝 은 빛 을 주 시 네 아 멘

쉽게 반주하는 예

🌼 오른손의 도음과 중복을 피하기
위해 왼손을 라레로 칩니다.

Bb조(Gm)조 이론 마스터 스케일과 코드 모음

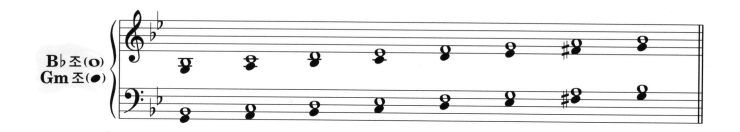

Bb조(O)
Gm조(●)

예보 41 코드 모음

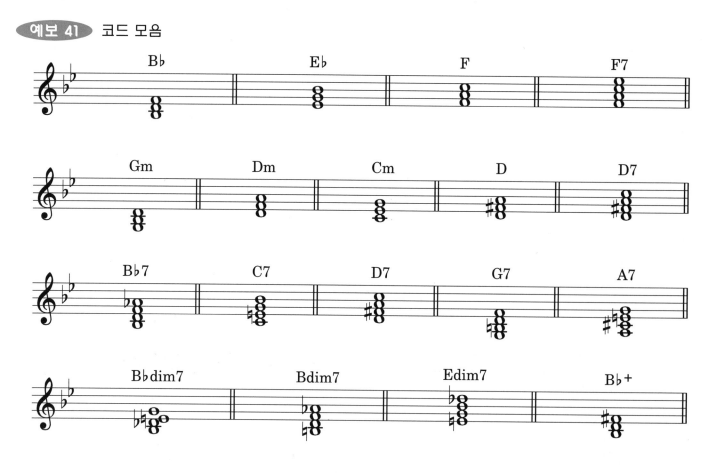

Bb Eb F F7

Gm Dm Cm D D7

Bb7 C7 D7 G7 A7

Bbdim7 Bdim7 Edim7 Bb+

Fsus4 F7sus4 Dsus4 D7sus4

고향의 봄

이원수 작사
홍난파 작곡

나의 살-던 고향은 꽃피는 산-골

복숭아꽃 살구-꽃- 아기진달-래

울긋불긋 꽃-대궐 차린-동-네

그속에서 놀던-때가 그립습니-다

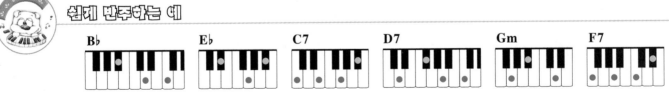

쉽게 반주하는 예

⭐ F음으로 치는 것과 효과를
비교해 보세요.

63

그린 슬리브스

영국 민요

아 추 억 도 -새 롭 구 나 -그 대 푸 른 -옷 소 매 여 나

그 대 와 -함 께 항 상 -기 쁜 -나 날 -을 보 냈 네

그 대 푸 른 옷 소 매 -여 기 쁨 과 -즐 거 움 은

이 제 멀 리 사 라 졌 -네 나 의 가 슴 -에 그 린 슬 리 브 스

쉽게 반주하는 예

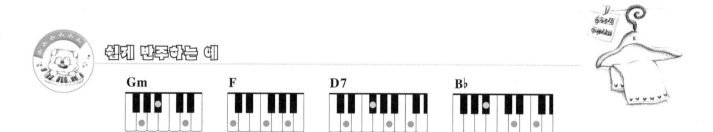

⭐ 단조로우면 16분음표로 바꿔져도 됩니다.

기다리는 마음

김민부 작사
장일남 작곡

일 출 봉에 해 뜨거 - 든 날 불 러주 오 -

월 출 봉에 달 뜨거 - 든 날 불 러주 오 -

기 다 려도 기 - - 다 려도 임 오 지않 고

빨 래 소 리 물 레 - 소 리 에 눈 물 흘 - 렸 네 -

쉽게 반주하는 예

 오른손과의 병행을 피하기 위하여
3음으로 진행하여 3박을 그냥 누르고
있어도 훌륭한 반주가 됩니다.
꼭 기계적으로 끝까지 똑같은 리듬으로
쳐야 되는 것은 아닙니다.

은 발

미국 민요

젊 은 날 의 추 억 들 — 한 갓 헛 된 꿈 이 라

윤 기 흐 르 던 머 리 — 이 제 자 취 없 어 라

오 내 사 랑 하 는 임 내 임 그 대 사 랑 변 찮 아

지 난 날 을 더 듬 어 — 은 발 네 게 남 으 리

쉽게 반주하는 예

⭐ 한 마디에 코드가 2개 있을 때
편한 연주법입니다.

D(Bm)조 이론 마스터 스케일과 코드 모음

D조(○)
Bm조(●)

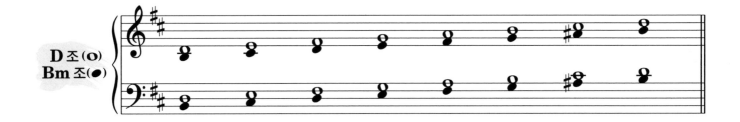

예보 42 코드 모음

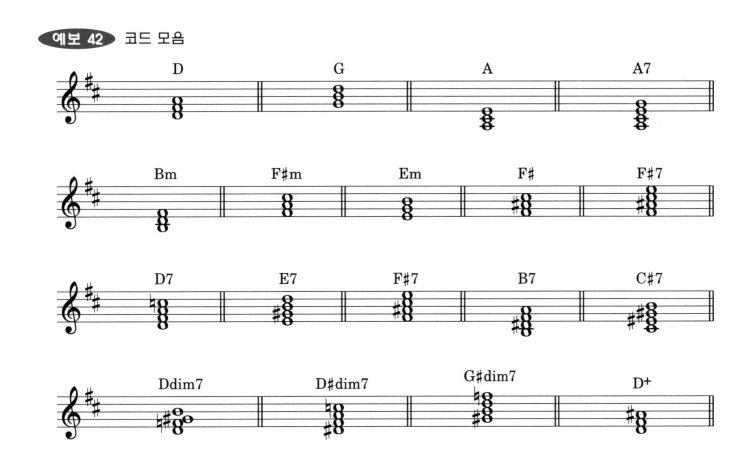

D   G   A   A7

Bm   F#m   Em   F#   F#7

D7   E7   F#7   B7   C#7

Ddim7   D#dim7   G#dim7   D+

Asus4   A7sus4   F#sus4   F#7sus4

스와니 강

포스터 작곡

머 나 먼저 곳 스와니 강물 그 리 워 라
정 처 도 없이 헤 매 이 는 이 내 신 세

날 사 랑 하 는 부 모 형 제 이 몸 을 기 다 려
언 제 나 나 의 옛 고 향 을 찾 아 나 가 볼 까

이 세 상 에 정 처 없 는 나 그 네 의 길

아 그 리 워 라 나 살 던 곳 멀 고 먼 옛 고 향

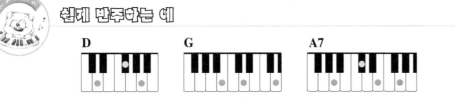

쉽게 반주하는 예

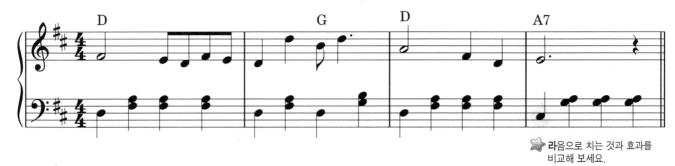

⭐ 라음으로 치는 것과 효과를
비교해 보세요.

기쁘다 구주 오셨네

헨델 작곡

기 쁘 다 구 주 오 셨 네 만 백 성

맞 아 라 — 온 교 — 회 — 여 — — 다

일 — 어 — 나 — — 다 찬 양 하 여 — 라 다 — 찬 양 하 여 —

라 다 — 찬 — 양 찬 — — 양 하 여 라

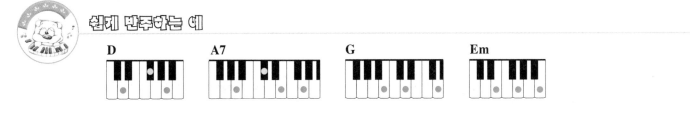

쉽게 반주하는 예

(D   A7)

⭐ 코드는 A7이지만 실제는
D와 A7로 나누어 치는 것이
좋습니다.

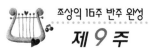

평안을 너에게 주노라
(My peace I give unto you)

로우틀리지 작곡

평안을 너에게 주노라 – 세상

이 줄 – 수 없 – 는 – 세상이 알 수

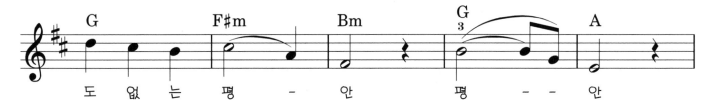

도 없 는 평 – 안 평 – – 안

평 – – 안 평안을 네게 주노라 –

쉽게 반주하는 예

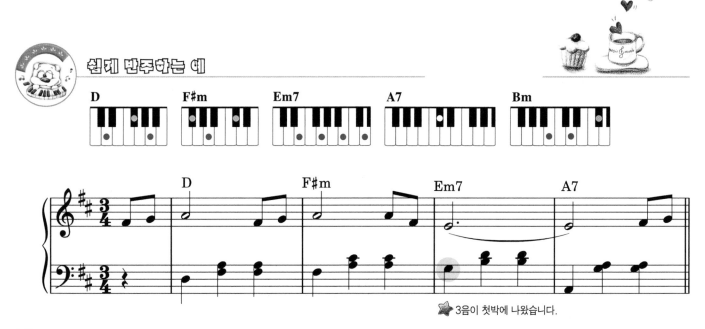

⭐ 3음이 첫박에 나왔습니다.

옛 시인의 노래

이경미 작사
이현섭 작곡

마른 나뭇가지에서 떨어지는 작은 - 잎 새 하 나
우리들의 사이에는 아 무 것 도 남 은 게 없 어 - 요

그 대 가 - - 나 무 라 해 도 내 가 내 가 잎 새 라 해 도
그 대 가 - - 나 무 라 해 도 내 가 내 가 잎 새 라 해 도 좋 은

날 엔 시 - 인 의 눈 빛 되 어 시 인 의 가 슴 이 되 어 아 름

다 운 사 연 들 을 태 우 - 고 또 태 우 고 태 웠 었 네 - - - -

뚜 루 루 루 귓 전 에 맴 도 - 는 낮 은 - 휘 파 람 소 리

시 인 은 시 인 은 노 래 부 른 다 그 옛 날 의 사 랑 얘 기 를

쉽게 반주하는 예

⭐ 처음에는 어렵지만 낮은 음역에서 분산하지
않도록 자꾸 연습하면 쉬워집니다.

E♭조(Cm)조 이론 마스터 스케일과 코드 모음

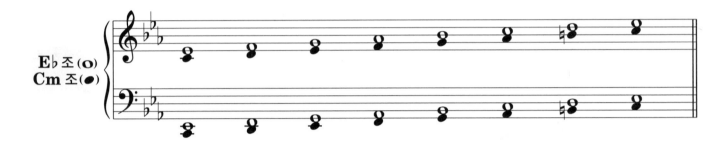

E♭조(O)
Cm 조(●)

예보 43 코드 모음

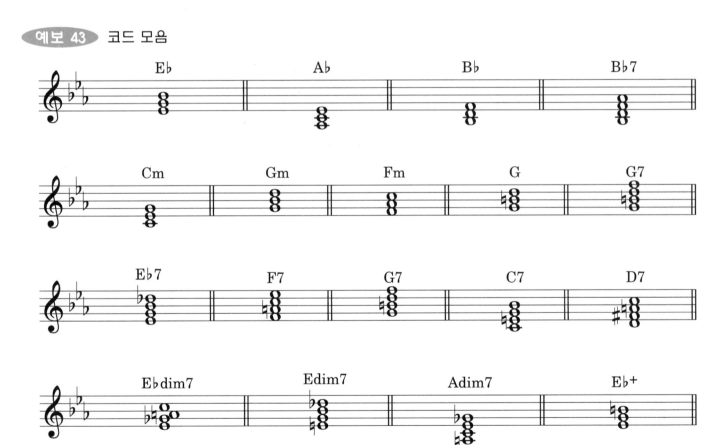

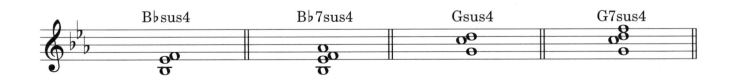

바 다

문명호 작사
권길상 작곡

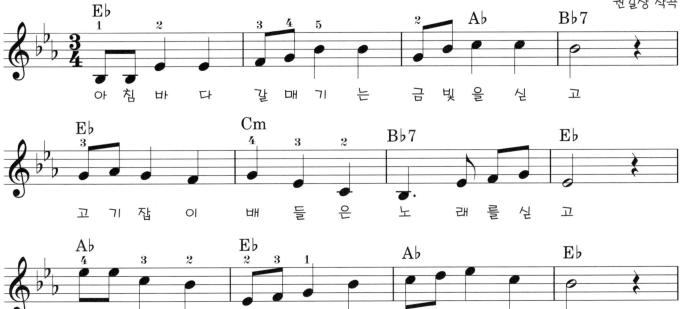

아 침 바 다 갈 매 기 는 금 빛 을 싣 고

고 기 잡 이 배 들 은 노 래 를 싣 고

희 망 에 찬 아 침 바 다 노 저 어 가 요

희 망 에 찬 아 침 바 다 노 저 어 가 요

쉽게 반주하는 예

⭐ Eb 은 첫박에서 해결되었고 나머지
2, 3박의 Ab 도 위와 같이 치면
깨끗이 해결됩니다.

우리의 소원

안석주 작사
안병원 작곡

우 리 의 소 원 은 통 일 꿈 에 도 소 원 은 통 - 일 이

정 성 다 해 서 통 일 통 일 을 이 루 자 - 이

겨 레 살 리 는 통 일 이 나 라 살 리 는 통 - 일 통

일 이 여 어 서 오 라 통 일 이 여 오 라 -

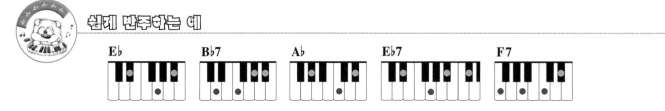

쉽게 반주하는 예

⭐ 같은 화음일 때 베이스를 바꿔 주면
효과가 좋습니다.

74

손에 손잡고

조로지오 모로더 작곡

하늘높이 - 솟는 불 - 우리의가 슴
어디서나 - 언제나 - 우리의가 슴

고 동치게 하 네 이제모두 - 다일어 나
불 타게 - 하 자 하늘향해 - -팔벌려

- 영 원 히함께 살아가야 할 - 길 - 나서자
- 고 요 한아침 밝혀주는 평 - 화 - 누리자

손 에 손 잡고 벽을 넘 어서 우리사는 세

- 상더욱 살 기좋도 록--- 손 에 손 잡고

벽을 넘 어서 서로서로 사 - 랑하는 한 마음 되

자 손 - 잡 고 - 손 에 고 -

쉽게 반주하는 예

⭐너무 지루하면 오른손을 코드로
풀어서 쳐도 좋습니다.

'대부'의 테마

로타 작곡

쉽게 반주하는 예

⭐ 처음에는 힘들지만 낮은 음역
에서 분산하지 않기 위해서
꼭 철저히 연습하세요.

⭐ 때로는 그냥
누르고 있어도
됩니다.

⭐ 때로는 그냥
누르고 있어도
됩니다.

A(F#m)조 이론 마스터 — 스케일과 코드 모음

A 조 (○)
F#m 조 (●)

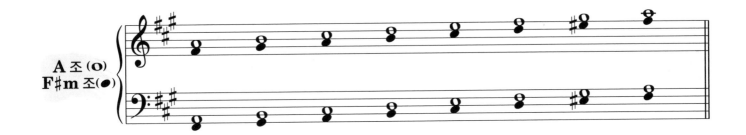

예보 44 코드 모음

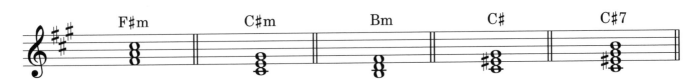

A   D   E   E7

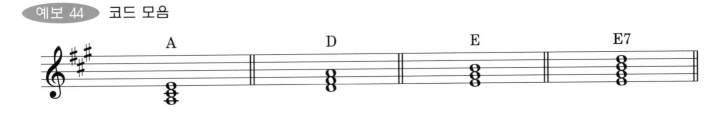

F#m   C#m   Bm   C#   C#7

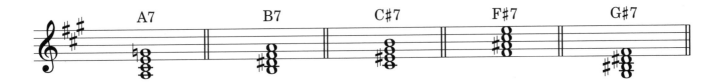

A7   B7   C#7   F#7   G#7

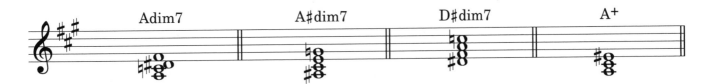

Adim7   A#dim7   D#dim7   A+

Esus4   E7sus4   C#sus4   C#7sus4

등대지기

영국 민요

얼 어 붙은 달 그 - 림 자 물 결 위 에 - 차 고 - 한

겨 울 에 거 센 - 파 도 모 으 는 작 - 은 섬 - 생

각 하 라 저 등 대 를 지 키 는 사 - 람 의 - 거

룩 하 고 아 름 - 다 운 사 랑 의 마 - 음 을 -

쉽게 반주하는 예

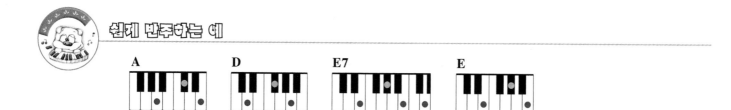

D코드와 아주 잘 어울리는
D의 6도 음입니다.

둥글게 둥글게

이수인 작곡

둥글게둥글게 둥글게둥글게 빙글빙글돌아가며 춤을춥시다

손뼉을치면서 노래를부르며 랄랄랄라즐거웁게 춤추자

Fine

링가링가링 가링가링가링 링가링가링 가링가링가링

손에손을잡고 모두다함께 즐거웁게뛰어봅시다

D. C.

쉽게 반주하는 예

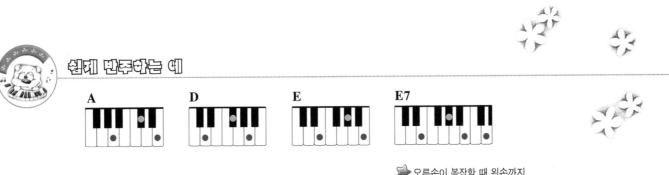

A   D   E   E7

오른손이 복잡할 때 왼손까지
복잡하게 칠 필요는 없습니다.

79

노 을

이동진 작사
안오철 작곡

바 - 람이머 물다간 들 판에 모 락모락피 어나는 저녁연기

색 - 동옷갈 아입은 가 을언덕에 빨 갛게노을이 타 고있어요

허 수아비팔 벌려 웃음짓고 초 가지붕둥 근박 꿈 -꿀 -때

고 개숙인논 밭의 열 매 노 랑게익 어만가 는 -

가 을바람머 물고간 들 판에 모 락모락피 어나는 저녁연기

색 - 동옷갈 아입은 가 을언덕에 빨 갛게물들 어 타 는저녁놀

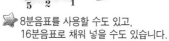 **쉽게 반주하는 예**

⭐ 8분음표를 사용할 수도 있고,
16분음표로 채워 넣을 수도 있습니다.

나의 모든 행실을

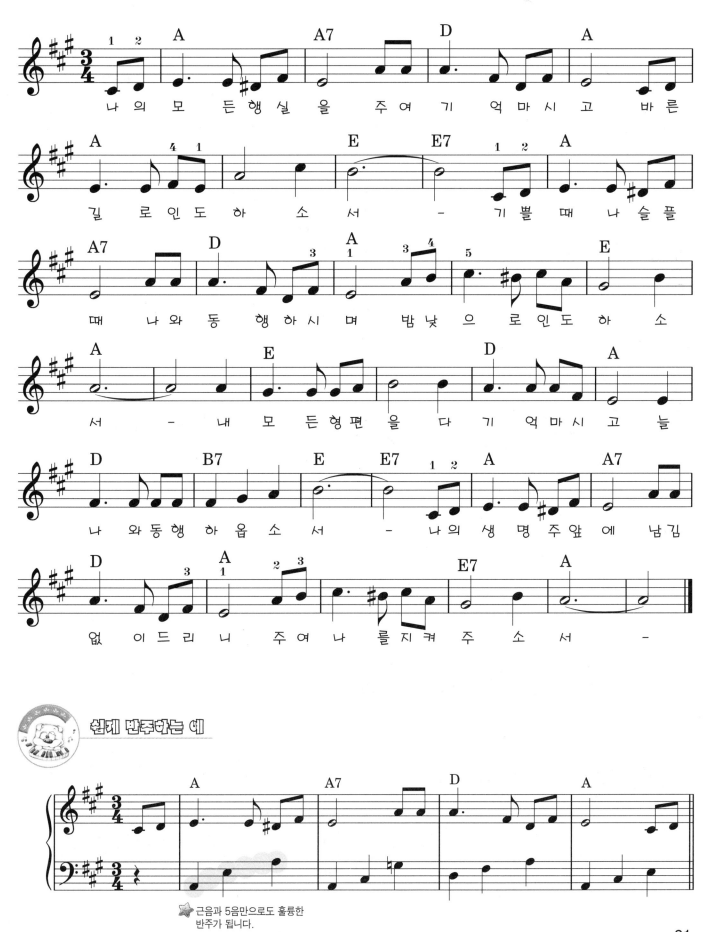

나의 모 든 행실 을 주여 기 억 마시 고 바른
길 로 인도 하 소 서 - 기쁠 때 나 슬플
때 나와 동 행하시 며 밤낮 으 로 인도 하 소
서 - 내 모 든 형편 을 다 기 억 마시 고 늘
나 와 동행 하옵 소 서 - 나의 생 명 주 앞 에 남김
없 이 드 리 니 주여 나 를 지켜 주 소 서 -

쉽게 반주하는 예

⭐ 근음과 5음만으로도 훌륭한
반주가 됩니다.

자 장 가

김영일 작사
김대현 작곡

우 리 아기 착한 아 - 기 소 록소록잠들 라

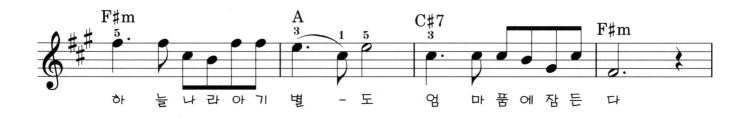

하 늘나라아기별 - 도 엄 마품에잠든 다

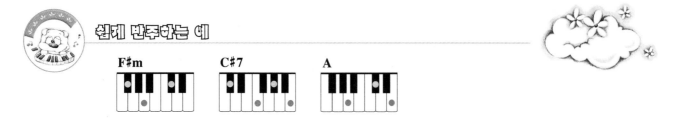

두 둥아기잠자거 - 라 예 쁜아기자 - 장

쉽게 반주하는 예

⭐ 이상하게 느껴질지 모르나 근음과 5음 만으로
분산하는 반주는 아주 많이 사용됩니다.
친해지도록 노력합시다.

A♭(Fm)조 이론 마스터) 스케일과 코드 모음

A♭조(○)
Fm 조(●)

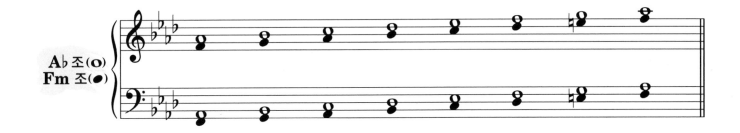

예보 45) 코드 모음

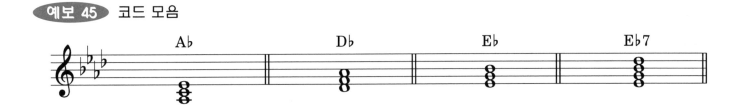

A♭   D♭   E♭   E♭7

Fm   Cm   B♭m   C   C7

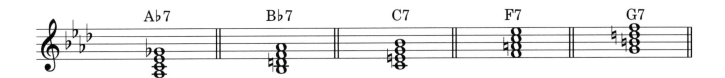

A♭7   B♭7   C7   F7   G7

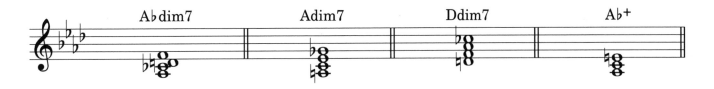

A♭dim7   Adim7   Ddim7   A♭+

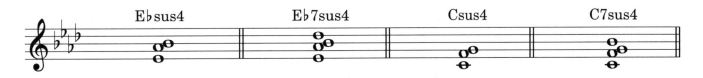

E♭sus4   E♭7sus4   Csus4   C7sus4

예수님 찬양

예 수 님 찬 양   예 수 님 찬 양   예 수 님 찬 양 합 시 다

예 수 님 찬 양   예 수 님 찬 양   예 수 님 찬 양 합 시 다

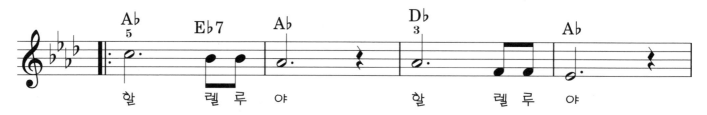

할   렐 루   야   할   렐 루   야

예 수 님 찬 양 합 시 다   예 수 님 찬 양 합 시 다

쉽게 반주하는 예

Ab   Db   Eb7

☆ 이 부분에 베이스 라인을
넣어도 됩니다.

84

언덕 위의 집

미국 민요

들소 들이 뛰고 노루 사 슴 노 는 그 곳

에 나의 집 지어 주 — 걱정 근 심 없

고 구름 한 점 없 는 그 곳 에 나의 집 지 어

주 — 언 덕 위 의 집 — 노루

사 슴 이 뛰 어 놀 고 — 걱정 근 심 없 고 구름

한 점 없 는 그 곳 에 나의 집 지 어 주 —

쉽게 반주하는 예

⭐ 단조로우면 멜로디 아래로
코드를 넣어 보세요.

그 리 움

이은상 작사
홍난파 작곡

뉘 라 서 저 바 다 를 밑 이 없 다 하 시 는 고 백

천 길 바 다 라 도 닿 이 는 곳 - 있 으 리 만

임

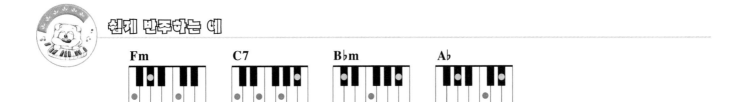

그 린 이 마 음 이 야 그 릴 수 록 깊 - - - - 으 이 다

쉽게 반주하는 예

⭐ 한 마디에 코드가 2개 이상
나올 때는 근음만으로도
충분히 연주가 됩니다.

핀란디아

시벨리우스 작곡

폭 설 은 개 고 잔 잔 한 바 람 은

- 숲 위 에 춤 추 며 지 나 간 다 - 그 네 들

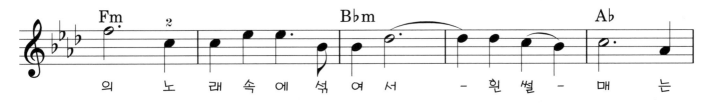

의 노 래 속 에 섞 여 서 - 흰 썰 - 매 는

달 려 간 다 - 아 침 햇 빛 은 라 보 란 도

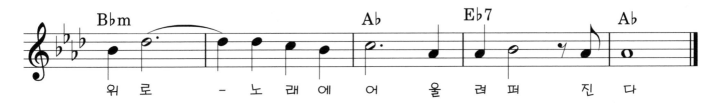

위 로 - 노 래 에 어 울 려 퍼 진 다

쉽게 반주하는 예

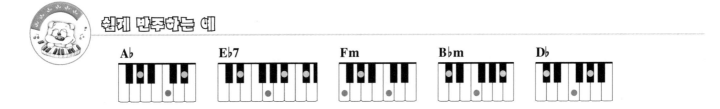

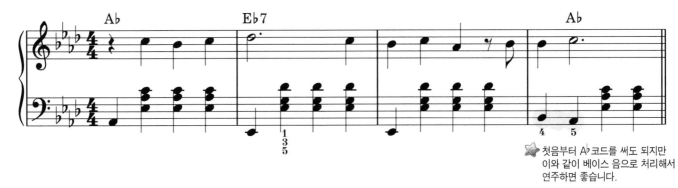

☆ 첫음부터 Ab코드를 써도 되지만
이와 같이 베이스 음으로 처리해서
연주하면 좋습니다.

햇빛보다 더 밝은 곳

햇빛 보다 더 밝은 곳 내 집 있네 햇빛보다더밝은곳 내 집 있네

햇빛 보다 더밝은 곳 내 집 있네 — 푸른하늘 저 편

내 주 여 내 주 여 날 들으 소서 내 주 여 내 주 여 날 들으 소서

내 주 여 내 주 여 날 들으 소서 — 푸 른 하 늘 저 편

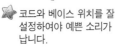 **쉽게 반주하는 예**

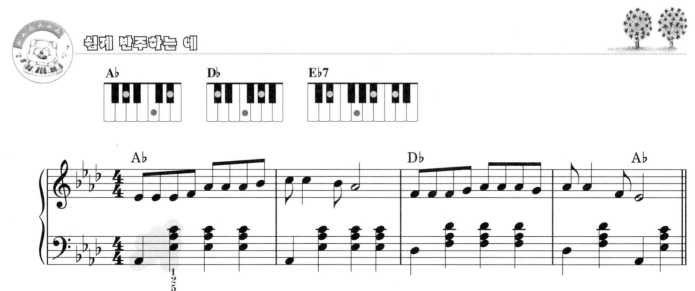

⭐ 코드와 베이스 위치를 잘
설정하여야 예쁜 소리가
납니다.

88

E(C♯m)조 이론 마스터   스케일과 코드 모음

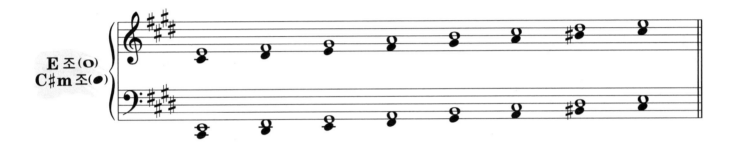

E 조 (○)
C♯m조 (●)

예보 46   코드 모음

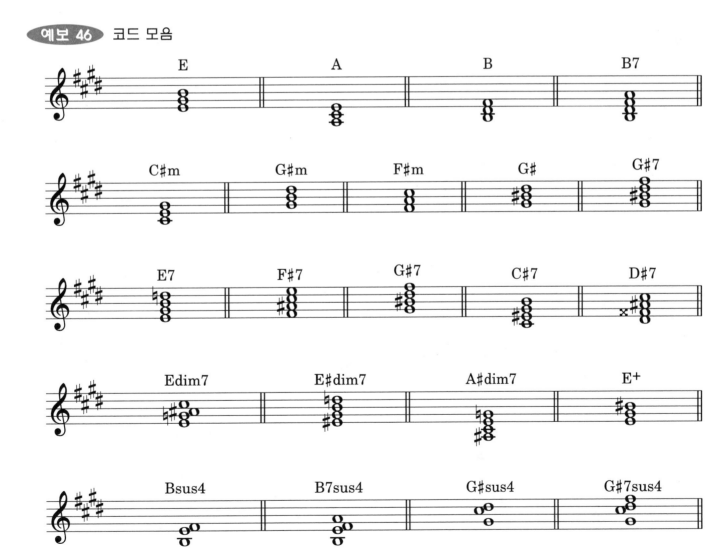

석별의 정

핸크 코클란 작곡

날이 밝으면멀 리 떠 날 사 랑 하는임 과함 께 마 지

막 정 을나 누노 라 면 기 쁨 보 다 슬 픔이앞 서 떠 나

갈 사 이 별 이 란 야 속 하 기 짝 이 없 고 기 다

릴 사 적 막 함 이 란 애 닯 기 가 한 - 이 없 네

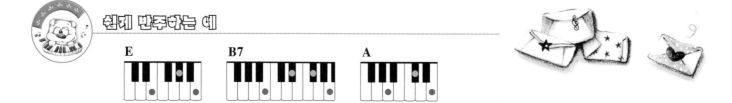

쉽게 반주하는 예

⭐ B음으로 쳐 보고 D#음과의
효과를 꼭 비교해 보세요.

사랑으로

이주호 작사
이주호 작곡

내가 살아가 - 는 - 동안에 할 일이 또 하나 있 지 바람

부는 벌 - 판에 서 있어도 나는 외롭 - 지 않 - 아 그러

나 솔잎 - 하나 떨어지면 눈물 따라 으르고 우리

타 는 가 - 슴 - 가슴마다 햇살 은 다시 떠 오 르 네 아 -

영 원 히 변 치 않 - 을 우리 들의 사랑으로 어 두

운 곳 에 손을 내 밀어 밝 혀 주 리 라

쉽게 반주하는 예

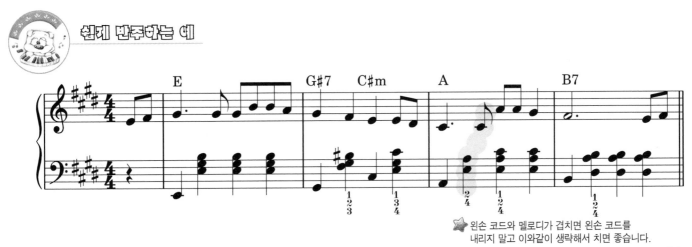

⭐ 왼손 코드와 멜로디가 겹치면 왼손 코드를
내리지 말고 이와같이 생략해서 치면 좋습니다.

91

우리에게 향하신

김진호 작곡

우 리 에게 향하 신   여 호와 의 인자 하 심 이

크 고 크 도 다 크 시 도 다 _ _

크 고 크 도 다 크 시 도 다

쉽게 반주하는 예

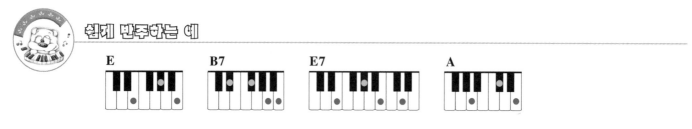

E   B7   E7   A

⭐ 3음을 베이스에 사용하고 있습니다.
B음으로 쳐 보고 효과를 서로 비교해
보세요.

해 뜨는 데부터
(From the rising of the sun)

데밍 작곡

해 뜨는 데 부 터 - - 해지 는 데 까 지 - - 주 이

름 - 찬양받으 리 - 해뜨는데 리

- 랄 랄 라 할 렐 - 루 야 여 호 와 의 모 든 종 들 아

주 이 름 찬 양 해 - 이제부 터 영 원 - 까 지

주 이 름 찬 송 할 찌 로 다 -

쉽게 반주하는 예

★ 근음이 계속되는게 싫으면 뒤의 음을
5도 음인 B음으로 쳐도 됩니다.

영화 '타이타닉' 중 사랑의 테마

쉽게 반주하는 예

⭐ 같은 B7코드의 분산이지만 오른손의 멜로디에
따라서 음을 생략하는 게 달라집니다.

우스쿠다라

터키 민요

우 스 쿠 다 라 머 나 - 먼 길 찾 아 서 왔 더 니

세 상 에 서 이 상 - 하 다 전 하 는 말 대 로

거 - 리 를 걸 - 어 - 갈 때 깜 짝 놀 - 랐 - 네

이 렇 다 면 총 - 각 - 들 이 불 쌍 하 겠 - 지 - 요

쉽게 반주하는 예

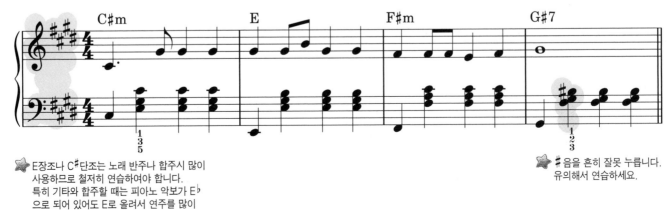

☆ E장조나 C#단조는 노래 반주나 합주시 많이
사용하므로 철저히 연습하여야 합니다.
특히 기타와 합주할 때는 피아노 악보가 E♭
으로 되어 있어도 E로 올려서 연주를 많이
하므로 중요한 연습입니다.

☆ #음을 흔히 잘못 누릅니다.
유의해서 연습하세요.

D♭조(B♭m)조 이론 마스터 · 스케일과 코드 모음

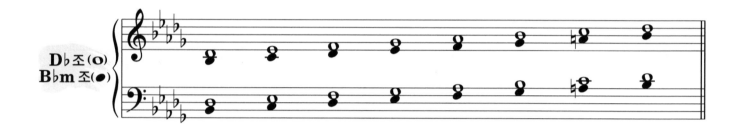

예보 47 · 코드 모음

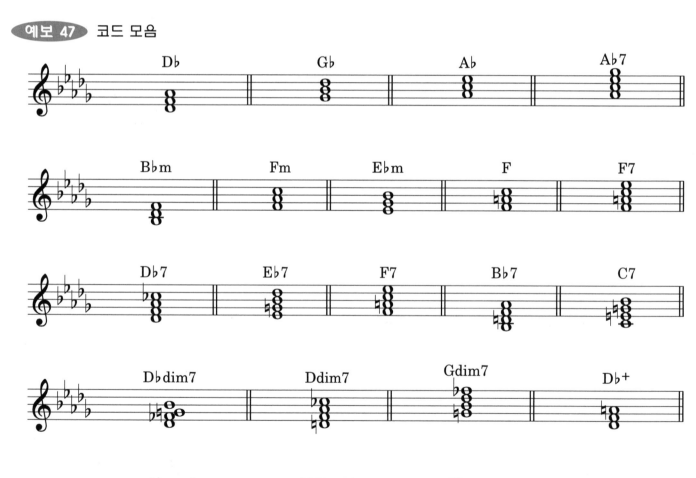

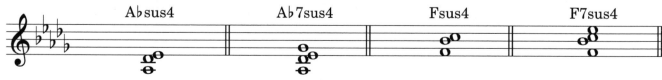

선 구 자

윤해영 작사
조두남 작곡

일 - 송 정 푸른솔은 늙 - 어늙 어 갔 - 어도

한 - 줄 기 해 란 강 은 천 - 년 두 고 으 - 른 다

지 난 - 날 강 가 에 서 말 달 리 던 선 - 구 자

지 금 은 어 느 곳 에 - 거 - 친 꿈 이 깊 었 나

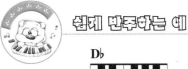 쉽게 반주하는 예

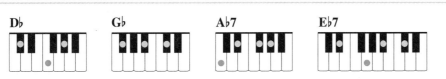

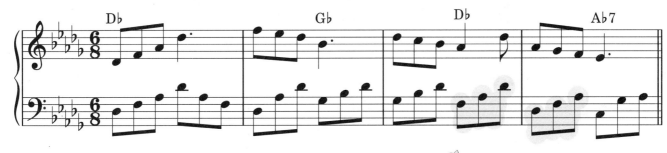

⭐ 같은 코드가 나올 때는 베이스를
바꿔 주면 지루한 감이 덜합니다.

97

B조(G♯m)조 이론 마스터 — 스케일과 코드 모음

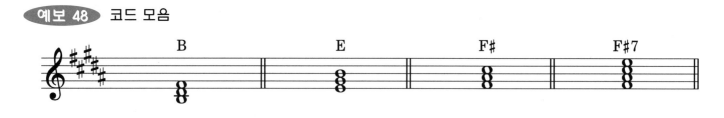

B조 (O)
G♯m조 (●)

예보 48 코드 모음

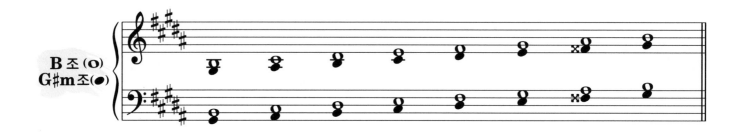

B   E   F♯   F♯7

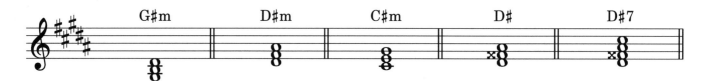

G♯m D♯m C♯m D♯ D♯7

B7 C♯7 D♯7 G♯7 A♯7

Bdim7 B♯dim7 E♯dim7 B+

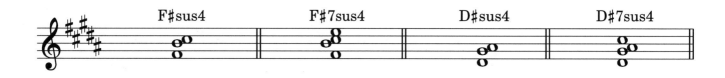

F♯sus4 F♯7sus4 D♯sus4 D♯7sus4

보좌에 계신 이와

조성환 작곡

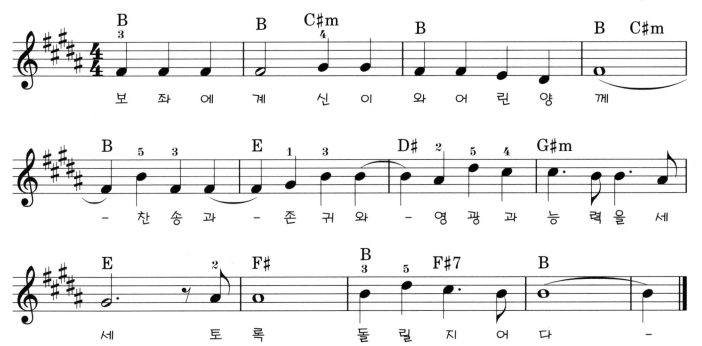

보 좌 에 계 신 이 와 어 린 양 께
－ 찬 송 과 － 존 귀 와 － 영 광 과 능 력 을 세
세 토 록 돌 릴 지 어 다 －

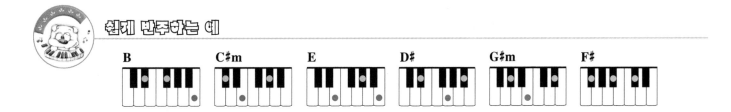

쉽게 반주하는 예

⭐ 3음이 첫박(C#m)에 왔습니다.
원래는 근음인 C#음을 쳐야
하는데 차이가 느껴지나요?

⭐ 3음이 첫박(C#m)에 왔습니다.
원래는 근음인 C#음을 쳐야
하는데 차이가 느껴지나요?

여자의 마음

베르디 작곡

바 람 에 날 리 는 갈 대 와 같 - 이 항 - 상 변 하 는

여 자 의 마 - 음 눈 물 을 흘 리 며 방 긋 웃 는 얼 굴 로

거 - 짓 말 로 서 속 - 일 뿐 이 리 바 - 람 에 날 리 는

갈 - 대 와 같 이 여 - 자 의 마 음 변 - - 합 니 다

쉽게 반주하는 예

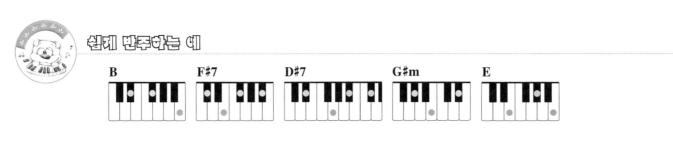

⭐ 베이스를 꼭 F#음으로 하지 말고
코드 내에서 다양하게 바꿔 보세요.

100

Q & A 질문 사항

Q 기본적인 반주는 잘 되는데 더 추가해야 할 주법들은 어떤 것들이 있습니까?

A 우선 왼손의 베이스 사용법에 대하여 말씀드리고 싶군요.
코드가 바뀌는 부분이나 왼손의 변화를 주고 싶을 때는 경과적인 베이스 라인을 넣어 줍니다.

(경과적인 베이스 라인 넣는 법)

예보 49

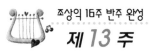

제 13 주

A 두 번째는 긴박 처리법에 대하여 설명해 드립니다.

예보 50

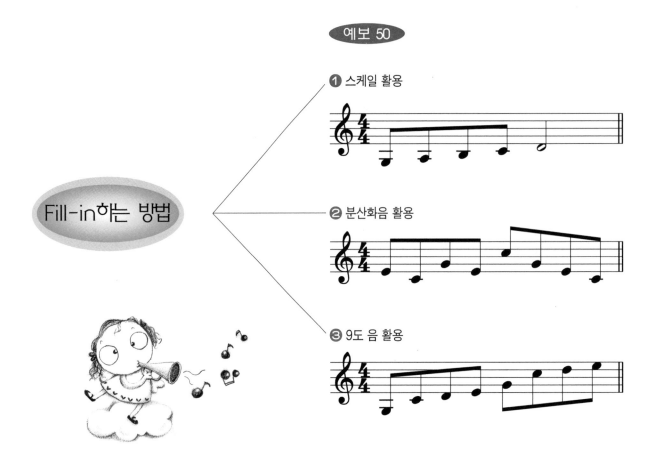

사 랑 의 주

예보 51

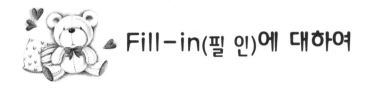

Fill-in(필 인)에 대하여

Fill in이란 곡 중에서 긴박자로 정지되어 있는 부분을 여러 가지 기법을 응용하여 메꾸어 넣는 것을 말하는데, 연주자가 즉흥적으로 채워 넣어야 하므로 평소에 훈련이 되어 있지 않으면 오른손 멜로디만 그냥 누르고 있는 단조로운 연주를 할 수 밖에 없습니다. 「소녀의 기도」 식으로 무조건 분산 화음으로만 처리하여도 곧 싫증이 나므로 여러 가지 스타일로 많은 공부를 해야 하는 중요한 기교입니다.

초보자를 위한 쉬운 Fill-in 방법

❶ 일정한 형식을 갖춘 분산 화음을 사용한다.

❷ 코드 중의 한 음에서 시작하여 다음 멜로디의 시작 음 가까운 곳으로 이어 주는 음계를 사용한다.

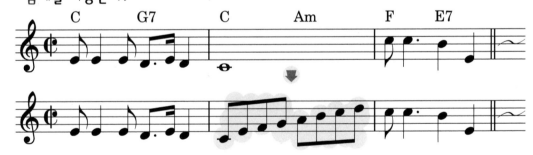

❸ 그 곡에서 사용하고 있는 특이한 리듬형을 사용한다.

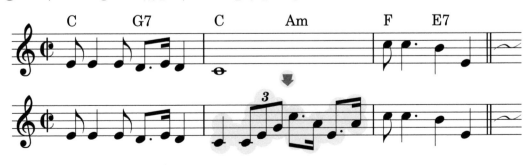

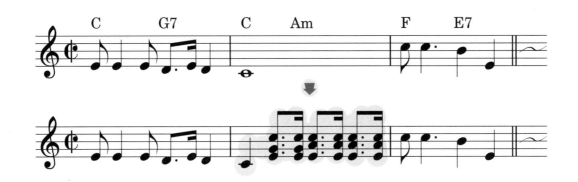

더 화려하고 고급스런 Fill-in 방법

❶ 기본 화음에 여러 가지 음들이 부가된 화려한 아르페지오를 사용한다.

❷ 스케일을 사용하되 Pentatonic Scale이나 Whole tone Scale 등을 코드에 맞게 사용한다.

❸ Tension 및 Reharmonization을 활용하여 멋있는 멜로디로 만들어 채운다.

※ 이외에도 많은 기법이 있으나 ❷권에서 더 자세히 논하기로 합니다.

질문 사항

Q 이 책에서 공부한 반주법을 오르간이나 디지털 피아노 혹은 키보드에 응용할 수 있습니까?

A 네, 충분히 응용됩니다. 다만 오르간이나 디지털 피아노, 키보드는 선택한 음색에 따라 사용되는 음역이 달라진다는 중요한 특징을 잘 알아야 아름다운 소리로 반주할 수 있으며, 음 사이를 이어 치는 레가토 주법에 신경을 써야 합니다. 그리고 피아노와의 합주시 너무 과다한 음량으로 피아노를 제압하여 혼자만 크게 치는 연주는 음악이라기 보단 하나의 장난에 불과한 나쁜 습관입니다. 피아노 소리가 잘 들리도록 볼륨을 잘 조정하여 아름다운 앙상블을 연주할 수 있도록 주의하여 키보드 자체의 주법을 연구하고 피아노를 감싸주는 훌륭한 연주를 하도록 노력합시다.

모·음·곡·에·관·하·여

이 책의 모음곡은 아주 효율적으로 편집되어 있습니다.

제1 모음곡은 멋있는 반주를 갈망하는 학구파들을 위하여 다양한 반주 패턴을 익힐 수 있는 변주곡으로 되어 있습니다. 각각 $\frac{4}{4}$, $\frac{3}{4}$, $\frac{2}{4}$, $\frac{6}{8}$ 박자의 대표적인 곡들이 편곡되어 있으므로 매일 연습하면 좋은 반주 습관이 몸에 배일 것입니다.

제2 모음곡은 각종 파티 및 행사에 유용하게 사용하는 곡들을 나누어 실었습니다. 아주 쉽게 편곡되어 있으므로 초등학교 1학년이라도 활용할 수 있으며 피아노에 약한 성인들도 잘 칠 수 있습니다. 마지막 부록은 코드표입니다.

의문이 생길 때마다 정확한 코드를 확인하는 습관을 가집시다. 〈조상익 16주 반주 완성〉❷권에는 여러 가지 반주 기교와 리듬에 대해서 자세하고 친절한 해설이 덧붙여 있습니다. 계속해서 꾸준히 공부합시다.

1. 다양한 반주법을 위한 곡

작 은 별

반주법 습득을 위한 16 연습곡

예보 52

이상하게 느껴지나요?
종소리로 생각해 봅시다.

1번보다 좋은가요?

미가 있는 것과 없는
차이가 느껴지나요?

웬지 허전하지요?

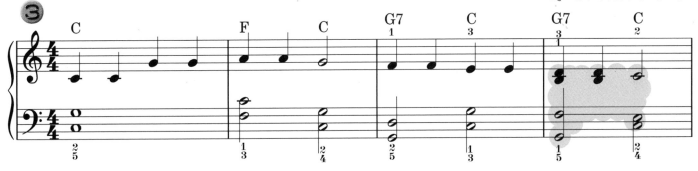

🌟 2번의 이 부분과 비교해 보세요.

🌟 바로 앞 마디의 C코드와
다른 게, 느껴지나요?

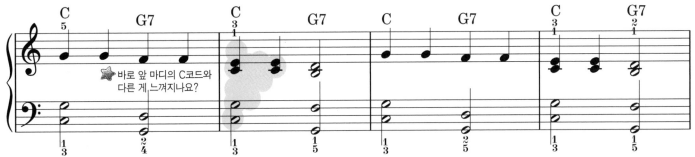

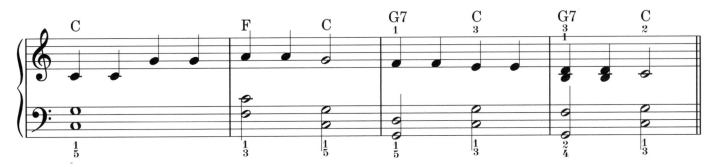

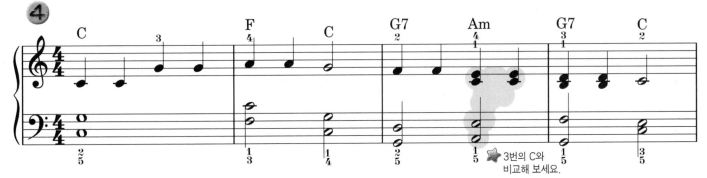

🌟 3번의 C와
비교해 보세요.

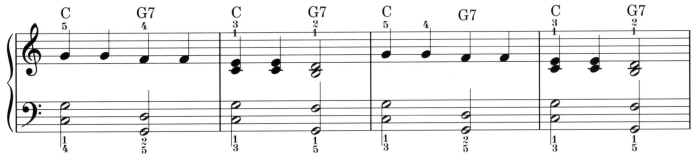

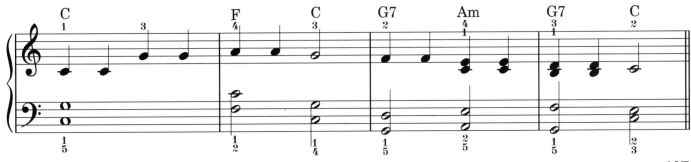

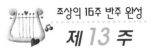

제 13 주

⭐ 가장 편한 위치입니다.

⭐ 끝부분은 시를 안 쳤네요!

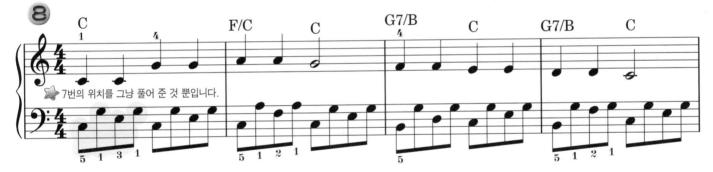

⭐ 7번의 위치를 그냥 풀어 준 것 뿐입니다.

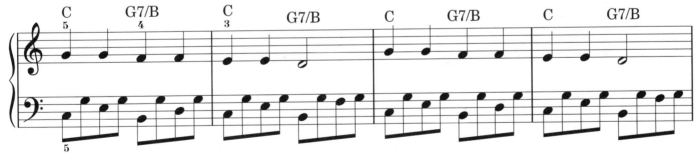

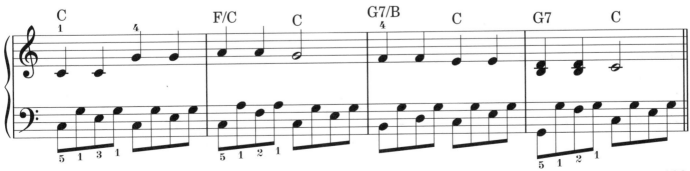

⑨ 🌟음이 겹친다고 내려가는 게
아니군요!

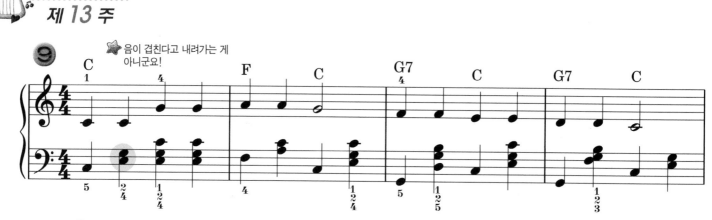

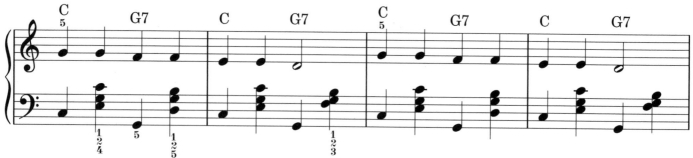

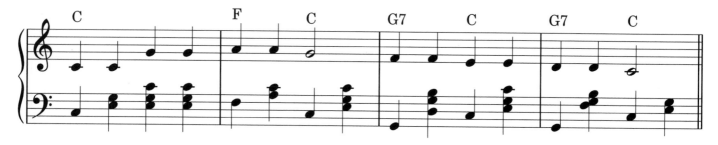

⑩

🌟자꾸 치면 쉬워집니다.   🌟자꾸 치면 쉬워집니다.

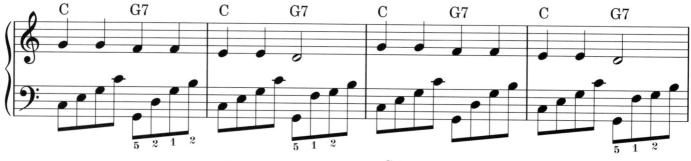

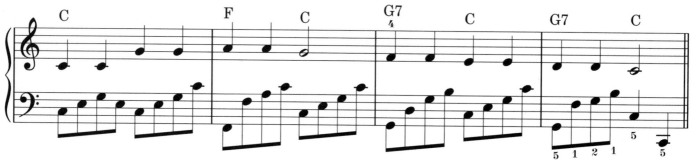

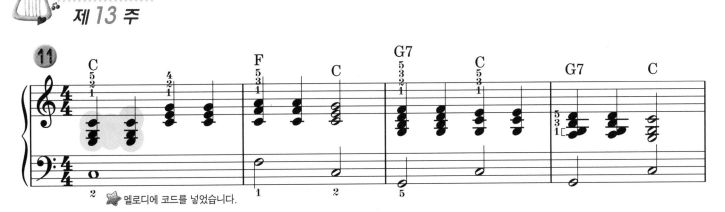

⑪

☆ 멜로디에 코드를 넣었습니다.

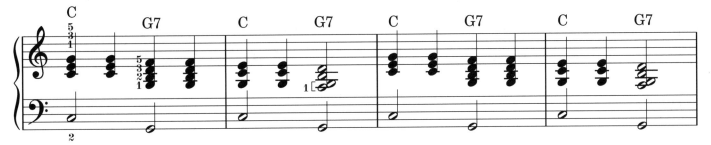

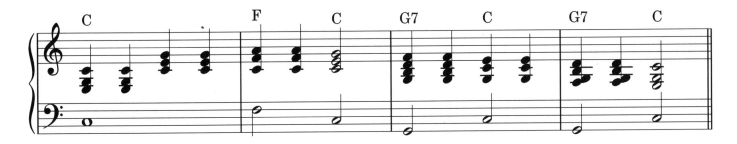

⑫

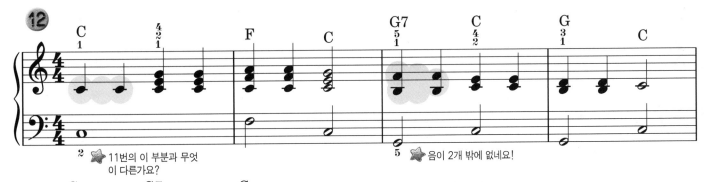

☆ 11번의 이 부분과 무엇
이 다른가요?

☆ 음이 2개 밖에 없네요!

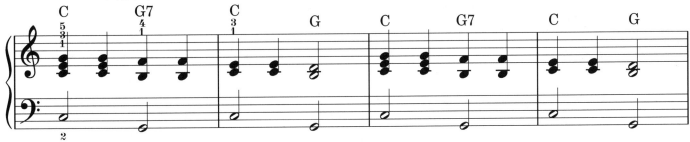

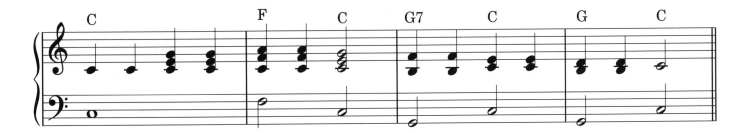

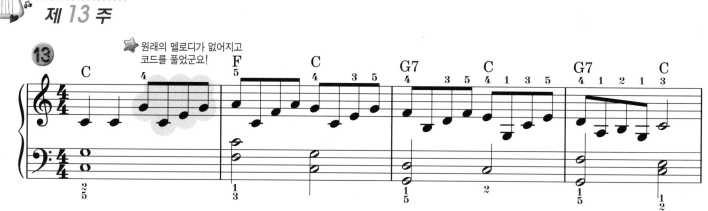

원래의 멜로디가 없어지고 코드를 풀었군요!

재미있지요?

앞부분과 또 다르네요!

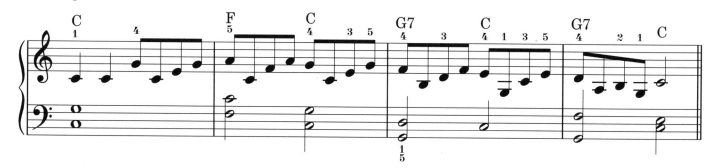

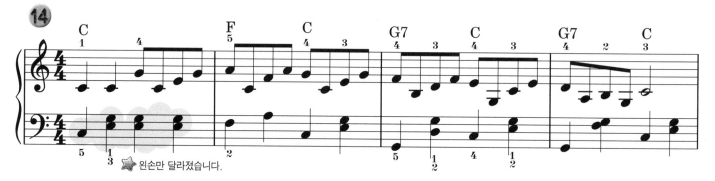

왼손만 달라졌습니다.

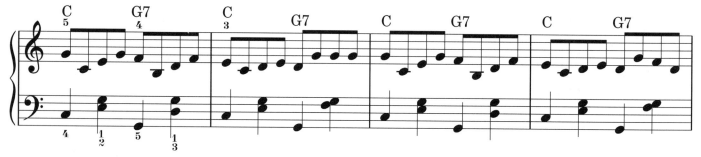

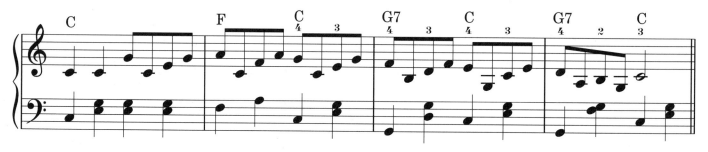

🌠 코드만 다릅니다.

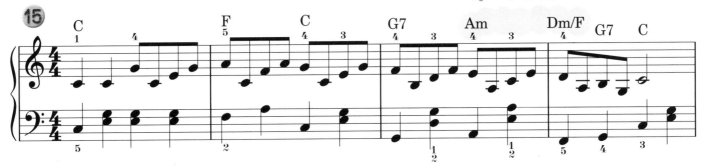

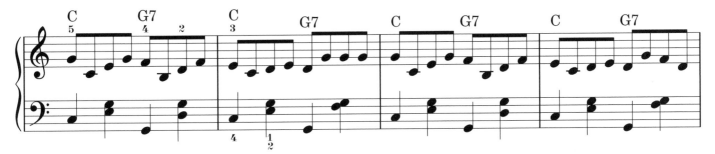

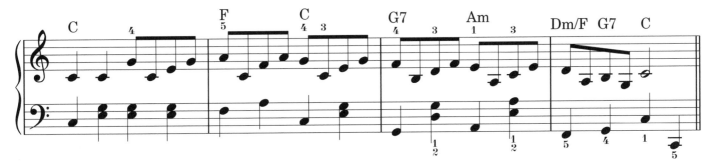

🌠 중요한 진행입니다.

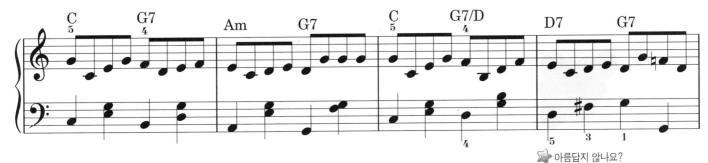

🌠 아름답지 않나요?

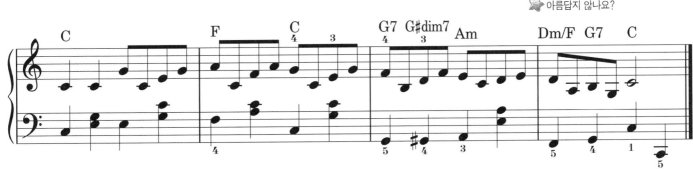

똑같은가

반주법 습득을 위한 20 연습곡

예보 53

외국 곡

☆ 종소리로 생각합시다.　　☆ 이상해도 종소리로 생각합시다.　　☆ 앞과 같습니다.

☆ 1번과 비교해 보세요.

☆ 어떤 느낌이 드나요?

☆ 3번의 이 부분과 어떤 차이가 느껴지나요?　　☆ 코드가 바뀌었습니다.

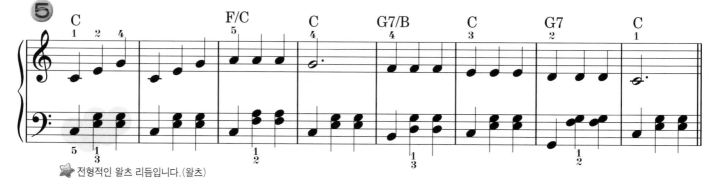

☆ 전형적인 왈츠 리듬입니다. (왈츠)

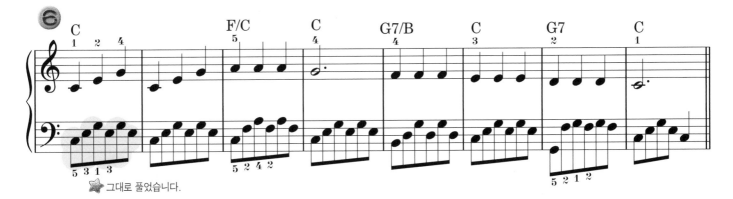

그대로 풀었습니다.

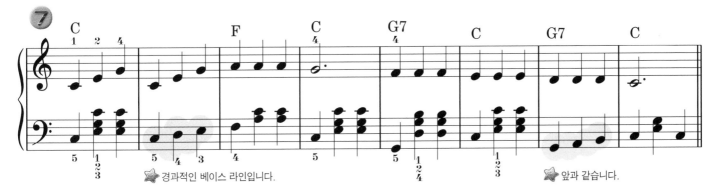

경과적인 베이스 라인입니다.   앞과 같습니다.

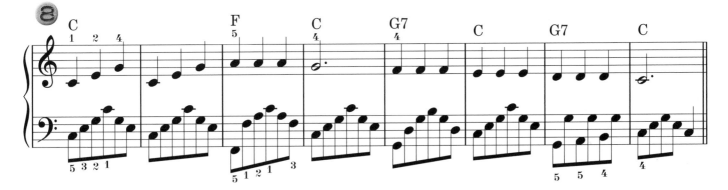

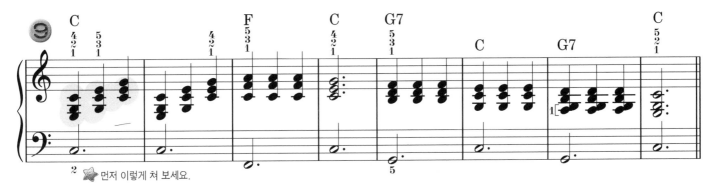

먼저 이렇게 쳐 보세요.

9번과 비교해 보세요.

⑪

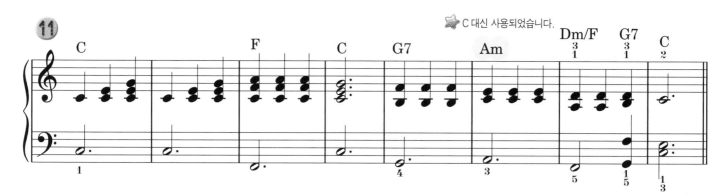

☆ C 대신 사용되었습니다.

⑫

☆ 어떤 느낌이 드나요?

☆ 감7화음입니다.

⑬

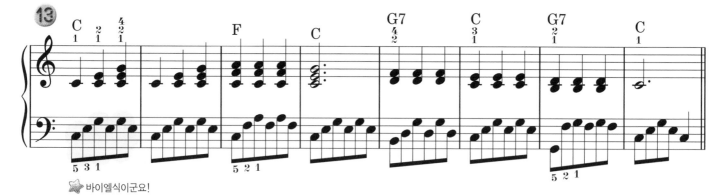

☆ 바이엘식이군요!

⑭

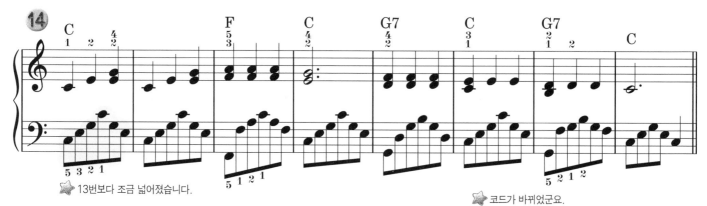

☆ 13번보다 조금 넓어졌습니다.

☆ 코드가 바뀌었군요.

⑮

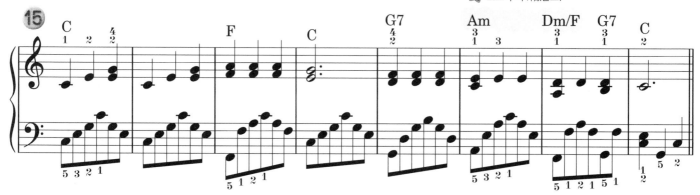

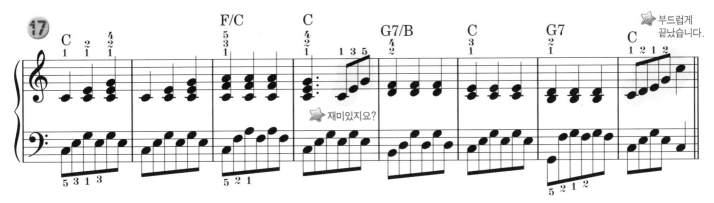

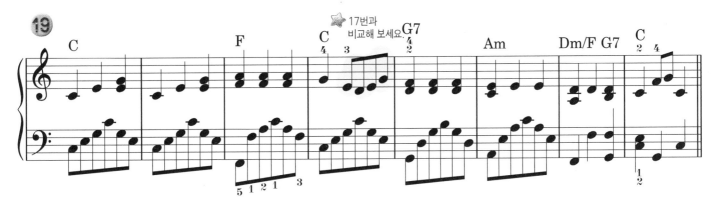

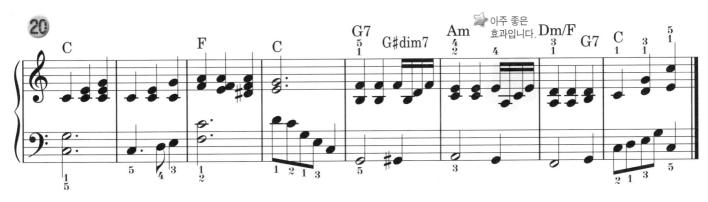

도 레 미 송

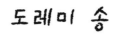

반주법 습득을 위한 5 연습곡

리차드 로저스 작곡

⭐ (소리가) 이상하지 않나요?

⭐ 도가 좋은가요?
라가 좋은가요?

⭐ 이상하지 않나요?

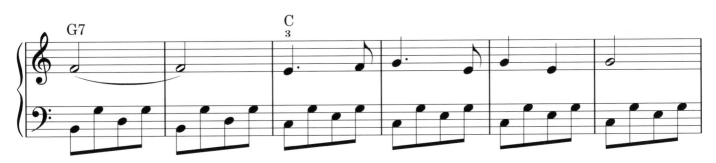

🌟 어떻게 하면 좋아질까요?

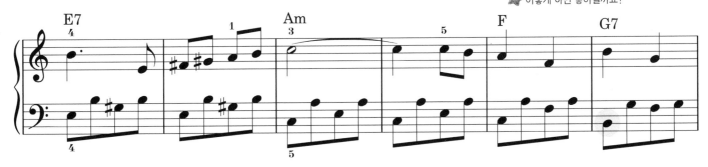

③

🌟 (이렇게 쳐도 되는 거예요? 네!)

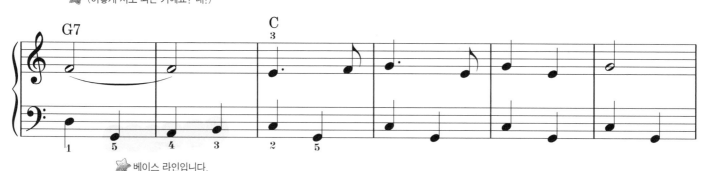

🌟 베이스 라인입니다.

🌟 베이스 라인입니다.

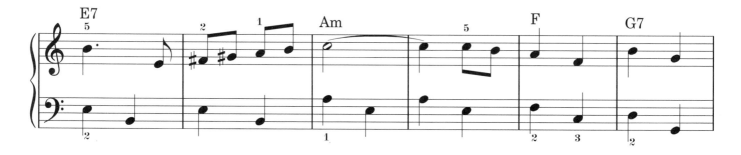

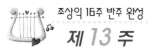

④

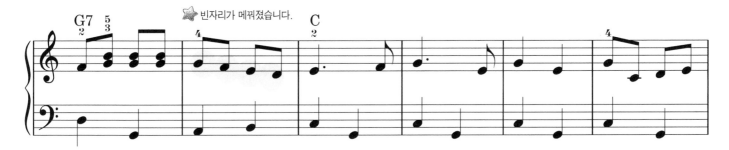

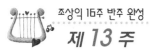

피콜로와 플루트가
생각나지 않나요?

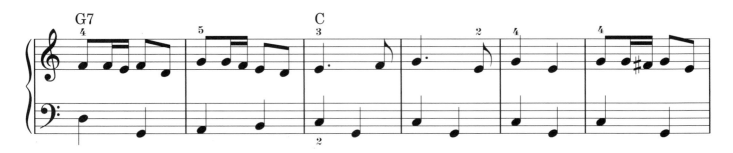

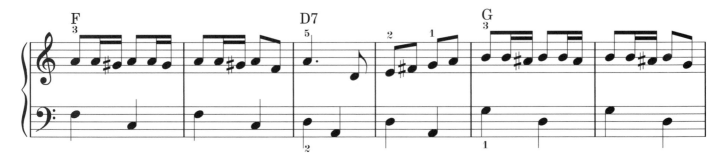

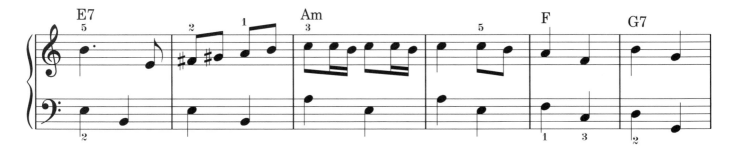

과수원 길

반주법 습득을 위한 6 연습곡

예보 55

①

🌟 베이스만 쳐 보았습니다.

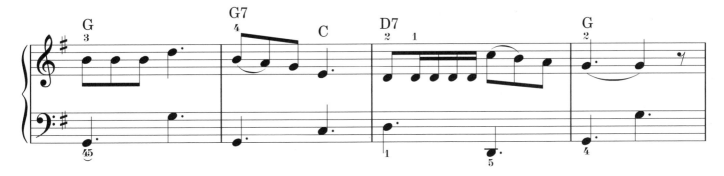

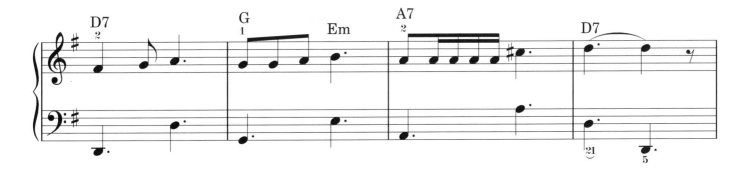

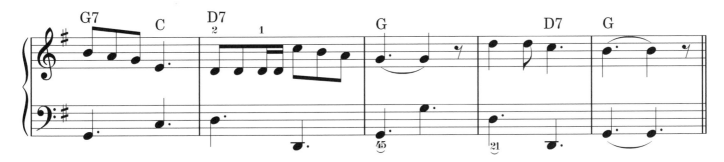

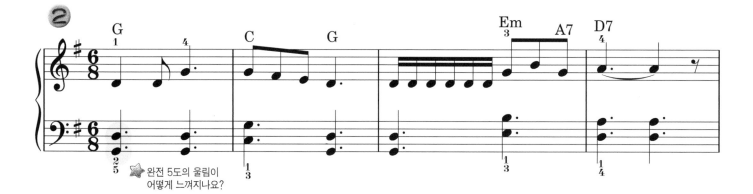

완전 5도의 울림이
어떻게 느껴지나요?

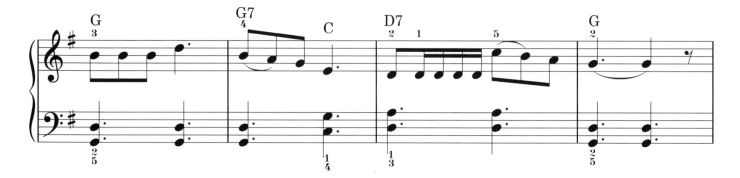

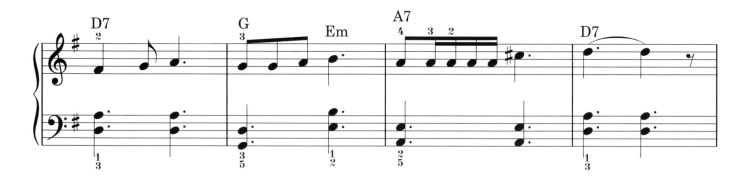

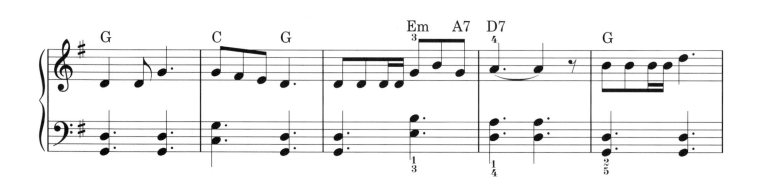

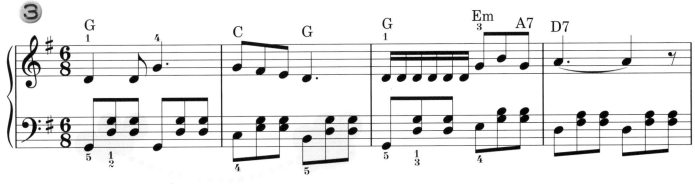

🌟 서로 비교해 보세요.

🌟 서스포 화음을 찾아 보세요.

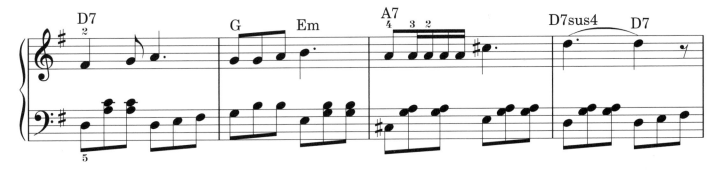

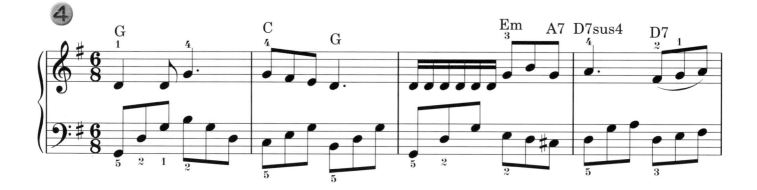

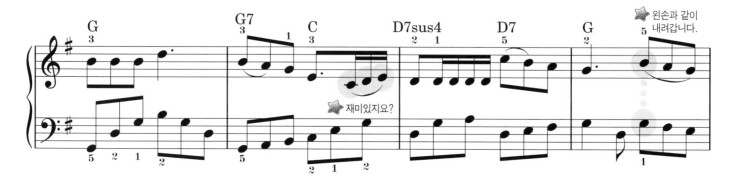

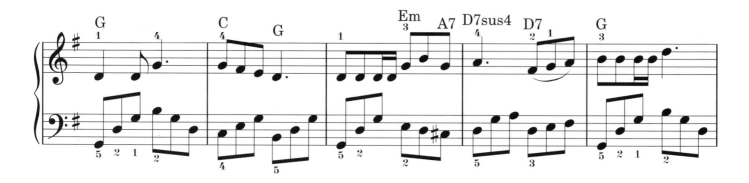

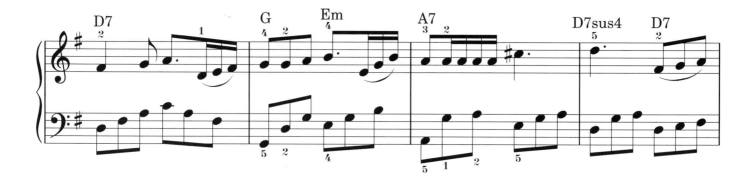

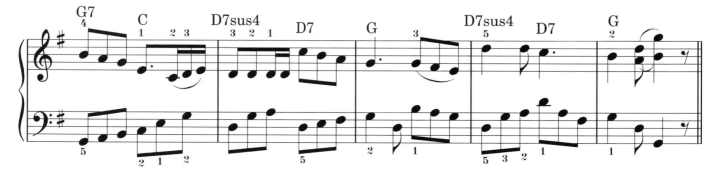

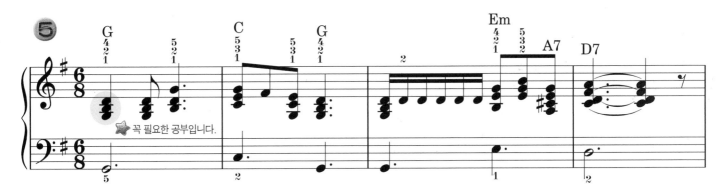

꼭 필요한 공부입니다.

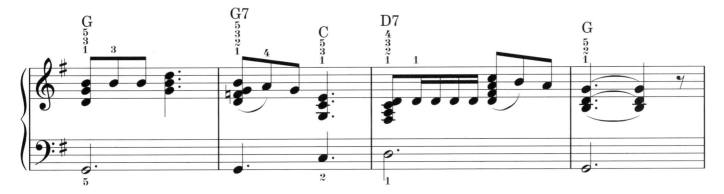

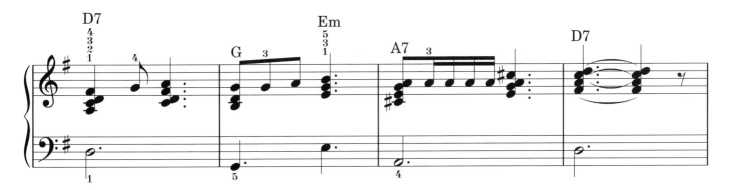

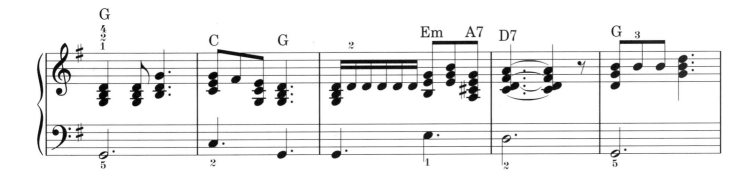

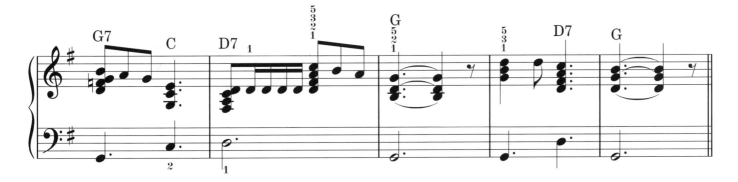

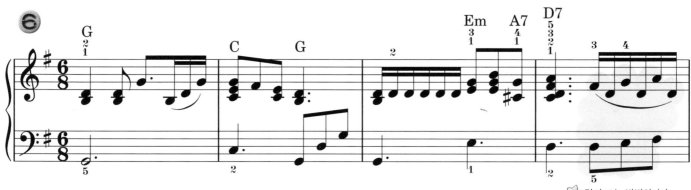

🌟 많이 쓰는 방법입니다.

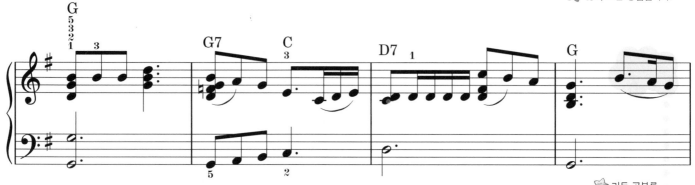

🌟 리듬 공부를 합시다.

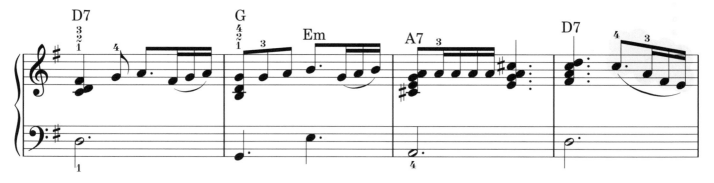

2. 각종 모임을 위한 곡

❧ 생일 축하 ❧

Happy Birthday to You

(생일 축하 노래)

예보 56

조상익 편곡

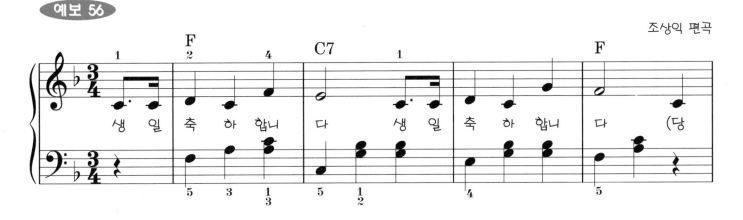

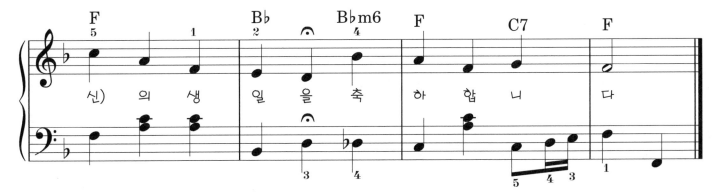

Congraturation

(생일 축하 노래)

조상익 편곡

축 하 합

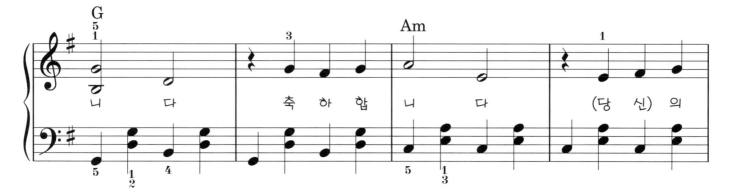

니 다 / 축 하 합 니 다 / (당 신) 의

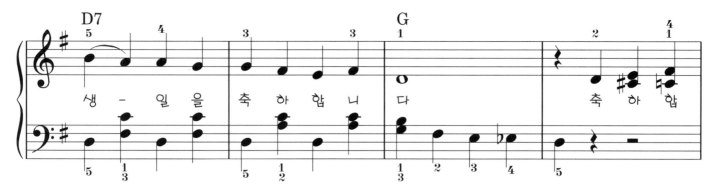

생 - 일 을 축 하 합 니 다 / 축 하 합

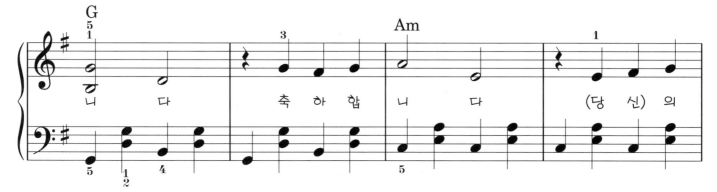

니 다 / 축 하 합 니 다 / (당 신) 의

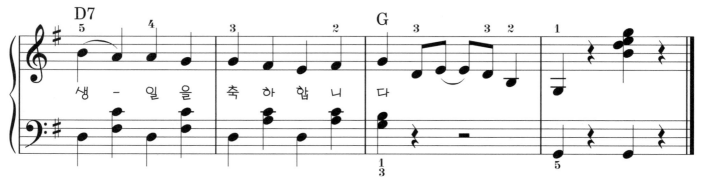

생 - 일 을 축 하 합 니 다

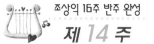

❀ 결혼 기념일 ❀

LOVE ME TENDER

매트슨 작곡
조상익 편곡

예보 58

G — Love me ten - der | A7 — love me sweet, | D7 — Nev - er let me | G — go

G — You have made my | A7 — life com - plete, | D7 — And I love you | G — so.

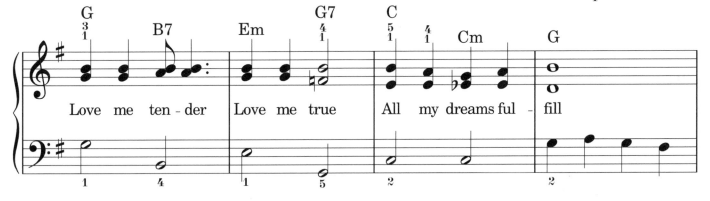

G   B7 — Love me ten - der | Em   G7 — Love me true | C   Cm — All my dreams ful – | G — fill

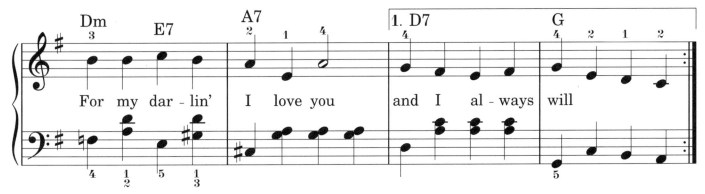

Dm   E7 — For my dar - lin' | A7 — I love you | 1. D7 — and I al - ways will | G

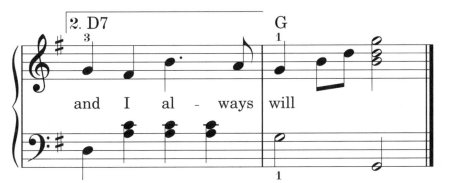

2. D7 — and I al - ways will | G

신랑 입장

(환희의 송가)

예보 59

베토벤 작곡

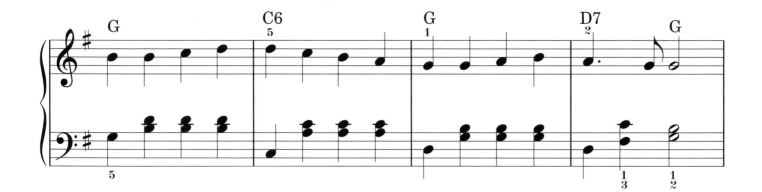

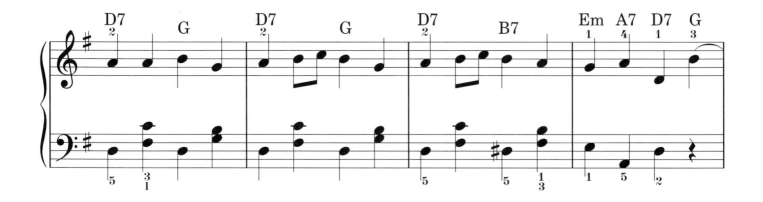

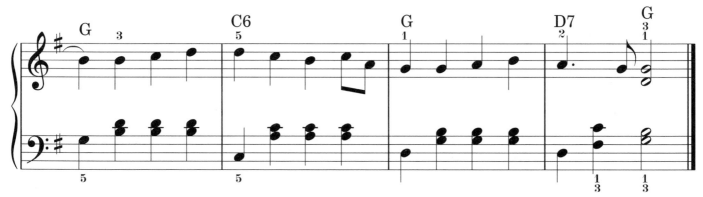

신부 입장

(결혼 행진곡)

바그너 작곡

예보 60

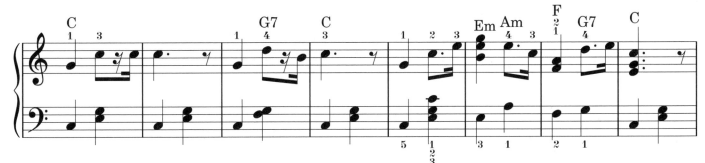

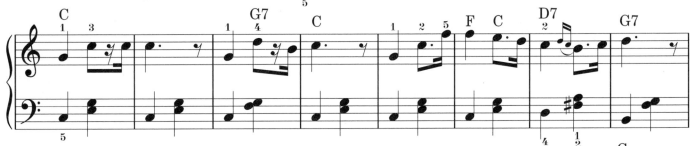

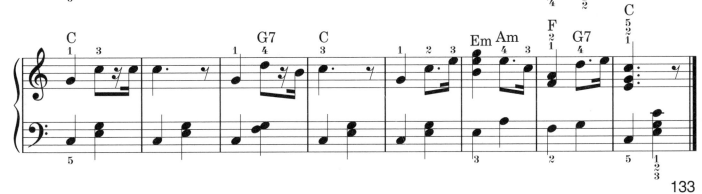

제 15 주

❀ 축 가 ❀

사 랑 은

정두영 작곡

예보 61

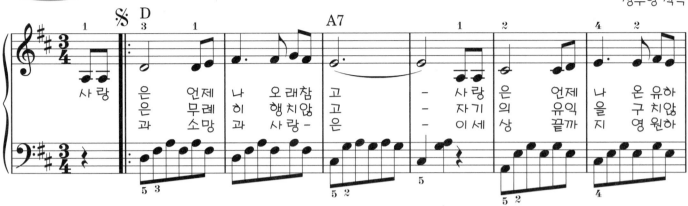

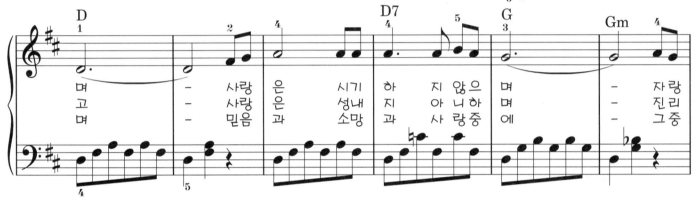

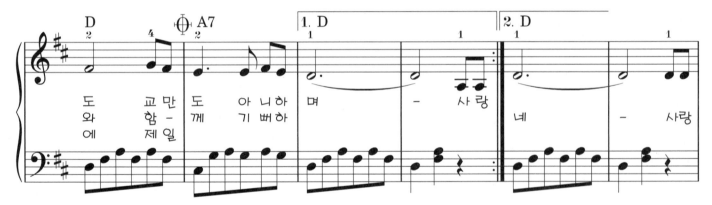

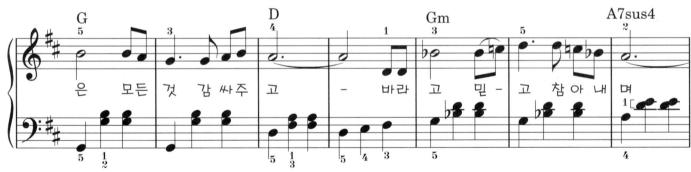

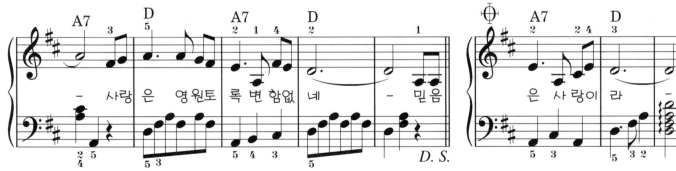

축혼 행진곡

멘델스존 작곡

예보 62

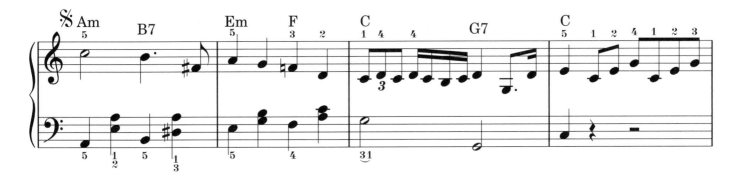

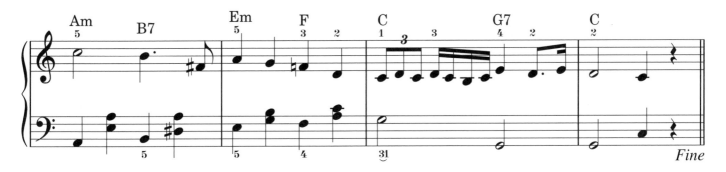

Fine

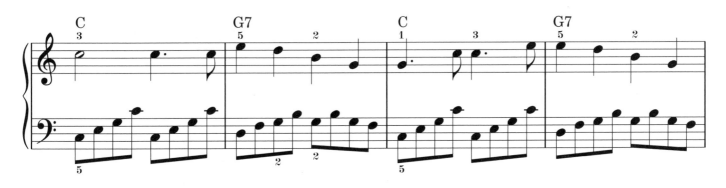

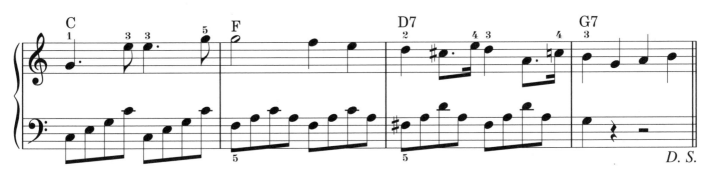

D. S.

❀ 찬양 예배를 위하여 ❀

찬양하라 내 영혼아 (묵도송)
(Bless the Lord, O my soul)

예보 63

마가렛 작곡

주의 사랑으로 사랑합니다 (새신자 환영)
(I love you with the love of the Lord)

예보 64

길버트 작곡

우리 기도를

(기도송)

웰프톤 작곡

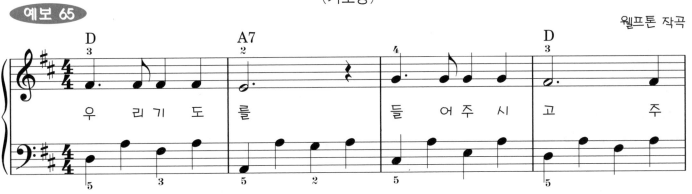

우 리 기 도 를   들 어 주 시 고   주

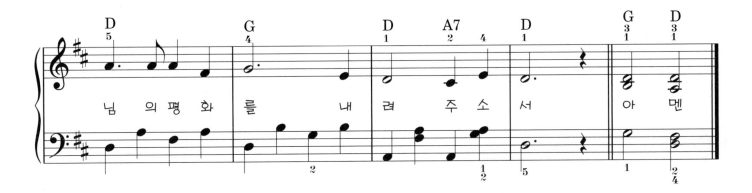

님 의 평 화 를   내 려 주 소 서   아 멘

아 멘

(축도송)

덴마크 곡

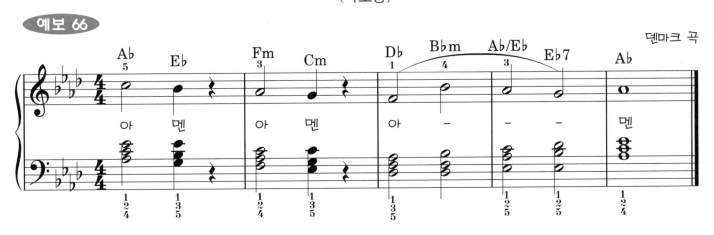

아 멘 아 멘 아 — — 멘

✤ 크리스마스 캐롤 모음 ✤

고요한 밤 거룩한 밤

예보 67

그루버 작곡

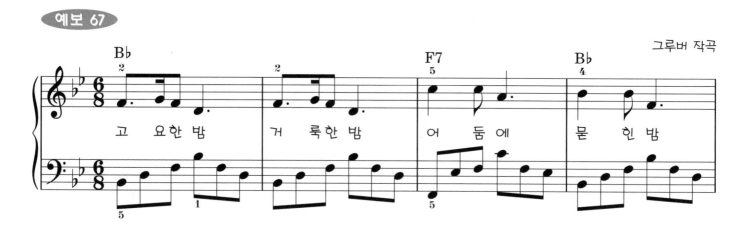

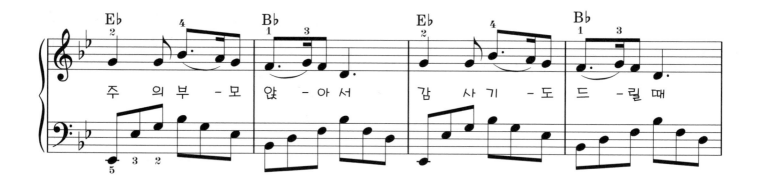

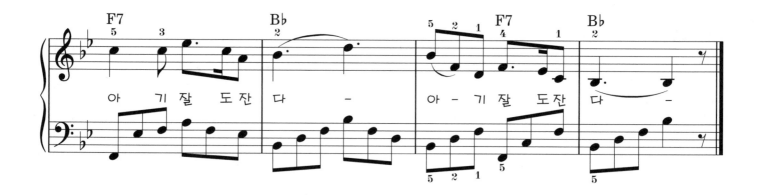

징글 벨즈

피어폰트 작곡

예보 68

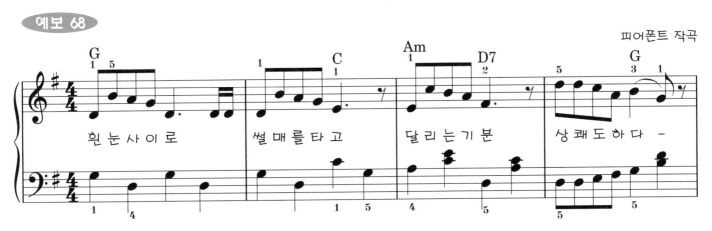

흰 눈 사 이 로　썰 매 를 타 고　달 리 는 기 분　상 쾌 도 하 다 -

종 이 울 려 서　장 단 맞 추 니　흥 겨 워 서 소 리 높 여　노 래 부 른 다

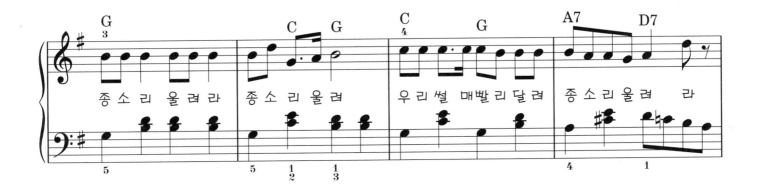

종 소 리 울 려 라　종 소 리 울 려　우 리 썰 매 빨 리 달 려　종 소 리 울 려　라

종 소 리 울 려 라　종 소 리 울 려　기 쁜 노 래 부 르 면 서　빨 리 달 리 자

화이트 크리스마스

예보 69

베를린 작곡

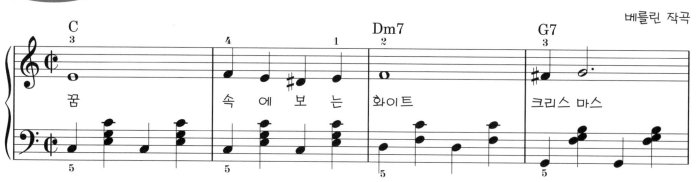

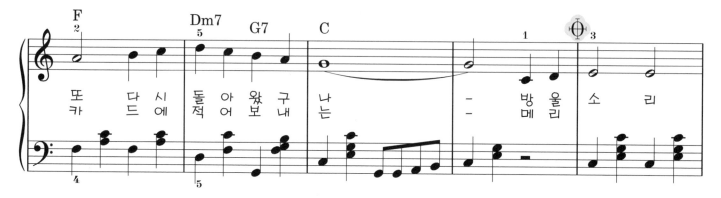

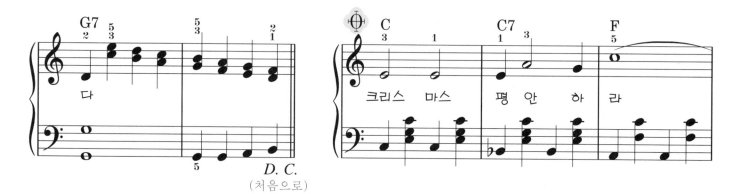

애국가

❈ 행사 모음 ❈

안익태 작곡

동 해 물 과 백 두 산 이 마 르 고 닳 도 록

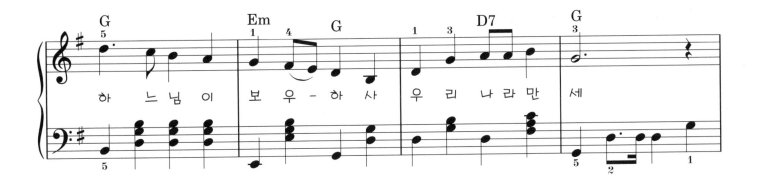

하 느 님 이 보 우 - 하 사 우 리 나 라 만 세

무 - 궁 화 삼 - 천 리 화 려 강 - 산

대 한 사 람 대 한 - 으 로 길 이 보 전 하 세

141

스승의 은혜

강소천 작사
권길상 작곡

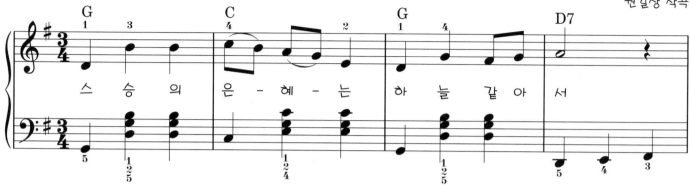

스승의 은 - 혜 - 는 하늘같아서

우 러러 볼 - 수 - 록 높아만 지 네 참 되거라

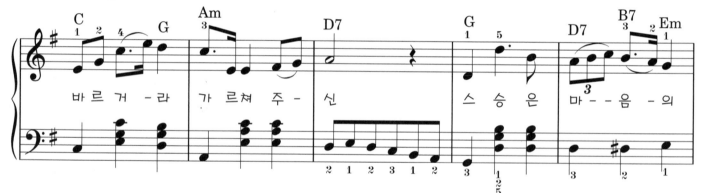

바르거 - 라 가 르쳐 주 - 신 스 승은 마 - - 음 - 의

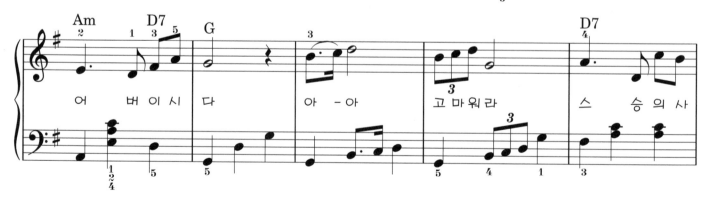

어 버이시 다 아 - 아 고 마워라 스 승의사

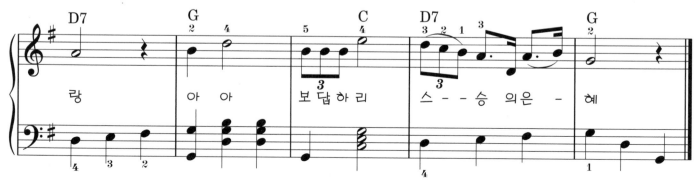

랑 아 아 보 답하 리 스 - - 승 의은 - 혜

어머님 은혜

윤춘병 작사
박재훈 작곡

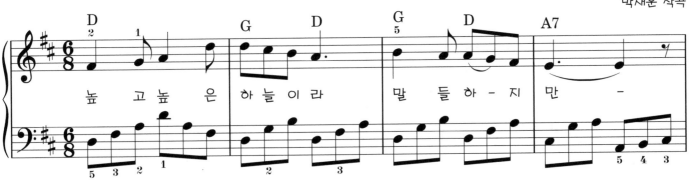

높 고 높 은 하 늘 이 라 말 들 하 - 지 만 -

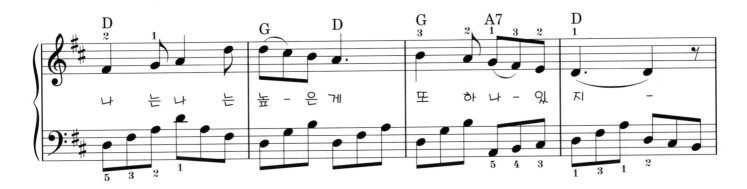

나 는 나 는 높 - 은 게 또 하 나 - 있 지 -

낳 으 시 고 기 르 시 는 어 머 님 - 은 혜 -

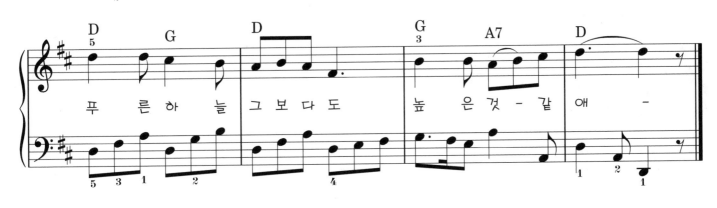

푸 른 하 늘 그 보 다 도 높 은 것 - 같 애 -

어린이날 노래

윤석중 작사
윤극영 작곡

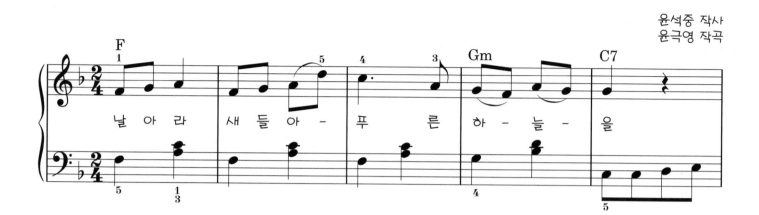

날아라 새들아 — 푸른 하 — 늘 — 을

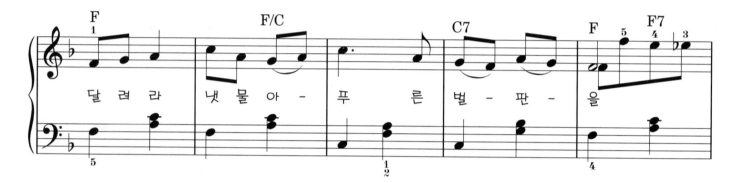

달려라 냇물아 — 푸른 벌 — 판 — 을

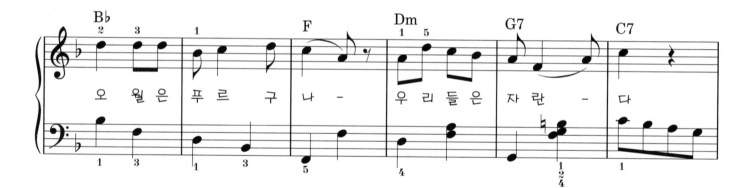

오 월은 푸르구 나 — 우리들은 자란 — 다

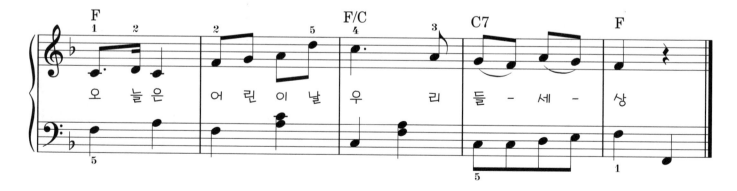

오 늘은 어린이날 우 리들 — 세 — 상

코드 일람표

* 이 책을 공부하다가 어려운 점이 있으면 「조상익 실용 음악원」으로 문의하여 주십시오.
   친절하게 상담을 해 드리겠습니다.
* 튼튼한 기초 공부나 훌륭한 연주를 좀더 깊이있게 공부하고 싶은 분들을 위해 교육 과정을 소개합니다.

교 육 과 정 ❶ 재즈, 팝 피아노 반 ❷ 찬송가, 복음성가 반주반 ❸ 작 · 편곡반(시창, 청음, 화성학) ❹ 보컬반

특 설 반

교 회 반 주 반

- 찬송가나 복음성가를 영감있고 아름답게 치는 법
- 4부 연주를 떠난 응용 연주법
- 찬양팀에서의 피아노나 건반의 정확한 기법
- 오르간과 합주시 피아노나 오르간의 즉흥 연주법
- 외국 스타일의 화려한 독주 기법
- 자유로운 조옮김
- 부흥회 때 듣고 치는 기법 마스터
- C.C.M에서 사용되는 다양한 리듬과 텐션 코드 완전 정복
- 교회 음악의 리더로서 필요한 기초 이론에서부터 제2 화성학을 숙달시켜 예배에 활용하는 법

실 용 음 악 반

- 정통 재즈 연주자가 되기 위한 단계적 학습
- 학원에서 필요한 동요, 가요, 가곡, 팝송의 리듬 및 코드 완전 정복
- 멜로디만 있는 악보의 다양한 연주 및 반주 기법 총정리
- 옛날 스타일의 쉬운 포크 송에서부터 최근의 복잡하고 다양한 가요, 창작 동요, 팝송을 마스터하는 법
- 재즈 화성학의 철저한 마스터
- 즉흥 연주(애드립)를 쉽게 마스터하는 법
- 실용 음악 대학, 대학원 입시, 해외 유학 준비반

❖ 강   사 : **조상익** 가스펠 & 재즈 피아니스트
　　　　　　세광음악교육 「팝 & 재즈 연주법」 1996년부터 연재 중
　　　　　　전 동아문화센터 강사, 전 KBS 관현악단 피아니스트
　　　　　　현, 조상익 실용 음악원장
　　　　　　현, 부산여대 음악과 재즈 피아노 겸임 교수, 부산여대 사회 교육원 재즈 피아노 담당 교수
　　　　　　　外 실용 음악 전공한 명강사 열강 중

❖ 위   치 : 「조상익 실용 음악원」 서초구 방배동 911-2 2층   TEL. 02)585-7901, 3

❖ 사이트 : http://www.jpiano.com 「조상익 실용 음악원」
　　　　　　http://cafe.daum.net/jazzpiano123 「조상익의 반주법, 재즈 피아노 교실」

조상익 16주 반주 완성 1 Compilation ⓒ 1999 세광음악출판사　　　　　조상익 편저

발 행 처 **세광음악출판사**　서울특별시 용산구 서계동 232-32　　　•등록번호 **제 3 - 108호**(1953. 2. 12)
　　　　　　　　　　　　　Tel : 02)714-0046(대)　Fax : 02)719-2656
공 급 처 **(주) 세 광 유 통**　Tel : 02)719-2651(대)　Fax : 02)719-2191

ISBN 89-03-36105-9 93670